Jean-Charles Botte

Le guide des vins vivants

Une nouvelle vision du vin naturel

ANAGRAMME
éditions

Remerciements
A Bruno Quenioux (Lafayette Gourmet) pour son
commentaire élogieux et son soutien,
à Michel Augé (domaine les maisons brûlées)
et à Alexandre Kalizack du phytobar pour leurs lectures.
Ensuite, ce livre n'aurait jamais vu le jour sans le soutien
de mes deux amis : Jorge et Nathalie.

**Enfin, je dédie ce livre à tous les vignerons
qui pratiquent ma philosophie.**

Credit photos : Bruno Jay (brunojay@noos.fr)
pour les photos tête de chapitre,
la maison Pierre Bourrée *pour les photos sur la vinification,*
Jean-Paul Zusslin

Révision : Estelle Guerven

Mise en page : Yamina Sadki

© 2007 ANAGRAMME éditions

Dépôt légal 3ᵉ trimestre 2007
ISBN 978-2-35035-126-1
Imprimé en France par Impression Design
F-92100 Boulogne - 33 (1) 46 20 57 57

Edité par ANAGRAMME éditions
48, rue des ponts
F-78290 Croissy sur Seine
33 (1) 39 76 99 43
info@anagramme-editions.fr

www.anagramme-editions.fr

Sommaire

Préface

De tout temps, le vin a fait débat entre professionnels idéologues et professionnels cupides. L'idéologue quête le graal, le cupide quête l'argent. Les deux peuvent dans leur quête, perdre la tête et oublier l'essentiel et les errements sont fréquents.

Le monde actuel fait la part belle au commerce, nous avons donc produit du vin pour le commerce plutôt qu'un commerce pour le vin.

Du temps des cisterciens, il est sûr que le vin était produit dans les meilleures conditions possibles pour élever l'âme. Aujourd'hui, il est produit dans les meilleures conditions pour séduire le gourou qui va influencer une population assistée en quête du dernier scoop viticole.

Le vigneron repéré a tiré le gros lot puisque immédiatement sa récolte va représenter une petite fortune.

Le vin est devenu symbole de goût mais seulement de goût, alors qu'il devrait être bien plus que cela. Le vin est un moyen de découvrir son propre goût, et donc soi-même, pour mieux découvrir l'autre.

Le livre de Jean Charles Botte, dans sa première partie, est un véritable état des lieux de ce débat. Il permettra à l'amateur, mais aussi au plus novice, de mieux comprendre ce milieu complexe et parfois moins lumineux que le vin de Galilée.

Au fil des pages du guide vous reconnaîtrez les préférences de l'auteur mais il laisse la part libre à chacun de trouver les siennes. Cela n'est pas courant dans cet univers où le prosélytisme systématique des experts (ne connaissant souvent plus leur propre goût) vous dicte ce qui est le vrai goût.

J'ai connu Jean Charles Botte dans ses débuts, il avait déjà tout du passionné de vin, il cherchait déjà cette diversité qu'offre le vin pendant que nombre de ses collègues cherchaient un goût unique et parfait pour coller une note dès la première ligne écrite.

Il fait partie des idéologues, vous l'aurez décelé, mais il s'éloigne de tout intégrisme pour faire découvrir le VIN.

Bruno Quenioux

Introduction

Le vin c'est la vie ! C'est l'âme de la vigne. C'est le Soleil et la Terre qui fusionnent dans le grain du raisin. Une énergie végétale rayonnante. Le sang parvenu d'une alchimie organique opérée à une échelle microscopique.

Véritable matière vivante, le vin est une expression vitale délivrant de nombreux messages de la nature. Produit de la transformation complète ou incomplète du pur jus de raisin frais, son évolution ne cesse jamais. Il est une substance active de levures, ferments, diastases, vitamines, antioxydants, oligoéléments et acides spécifiques dont les effets sur la digestion et l'action bactéricide sont scientifiquement démontrés. Mais plus encore, il contient les informations du soleil avec une faible radioactivité naturelle qui, contrairement à celle produite artificiellement, exerce une action bienfaisante sur la santé.

C'est encore plus vrai pour le vin bio qui, par définition, est un produit vivant, élaboré selon des règles relevant de la Nature, ainsi que de traditions, d'attitudes et de techniques saines.

Cependant, il faut le signaler, cultiver sa vigne en bio est une chose, vinifier en est une autre. Le vin s'élabore dans les vignes mais aussi dans la cave. On peut ainsi faire l'expérience gustative de piètres vins bio. Il s'agit donc d'être cohérent, le vin de culture biologique doit être travaillé dans les règles de l'art pour que tout le potentiel en amont soit exploité en aval.

Dans ce livre, seront abordées les différentes sortes de viticulture : la conventionnelle avec ses produits chimiques, leur coût, les conséquences du surplus des produits phytosanitaires, la lutte raisonnée et bien sûr l'agriculture biologique dont la biodynamie, cette branche ultra naturelle, est un peu comme la « fleur de sel ».

Production, vinification vous seront également dévoilées mais les caractéristiques d'un vin « vivant » seront surtout étudiées ici à travers la dégustation – sujet central de ce livre. Aussi, vous qui êtes néophytes, vous apprendrez à connaître les bases d'une bonne dégustation. Le « nez » du vin, les étapes de bouche, la rétro-olfaction... Autant de termes concernant l'étude et l'expérience du goût.

Savoir déguster, c'est éduquer et affiner sa sensibilité au fil de l'expérience. Pour cela il faut se « nettoyer », c'est-à-dire manger sainement – la consommation des fruits et légumes bio, dont la concentration en composés organoleptiques est accrue, exempts de pesticides, herbicides et engrais de synthèse, trouve ici tout son sens –, éviter si possible ou réduire le lait, modérer les saveurs extrêmes comme le trop sucré, trop salé, trop piquant etc., s'abstenir de fumer...

La sensibilité et la mémoire sont les clés de la dégustation ! Trouver ou retrouver une « impartialité » des organes sensoriels du goût et de l'odorat grâce à l'épuration alimentaire et pulmonaire, déprogrammer les récurrences mnémoniques d'anciennes habitudes constituent le passage obligé pour atteindre de hautes sensations olfactives et recouvrer des papilles « pointues ».

À travers une méthode fusionnée de la technique de Max Léglise, dégustateur admirable, et de ma propre expérience sensorielle, invitez-vous dans l'univers du vin !

Qu'est-ce qu'un vin vivant ? Est-il différent des autres vins ? A-t-il de l'avenir ? Exprime-t-il le terroir ? Qu'est-ce que le terroir ? Quelles sont les solutions des problèmes viticoles en France ? Faut-il redorer le blason du vin français ? Existe-t-il plusieurs sortes de dégustation ?...

C'est à ce choix de questions que nous allons tenter de répondre. Vous trouverez également quelques bonnes adresses de vignerons, sachant que certains auront été involontairement oubliés car actuellement, et c'est bon signe, se profilent de plus en plus de productions de vins dits « vivants », également appelés « naturels », « spirituels », de style « Prelitte » ou de manière plus explicite « issus de l'agriculture biologique certifiée ou non et vinifiés en levures indigènes ». À la lumière de toutes ces informations, vous ne boirez plus votre verre de vin comme avant !

Le vin se regarde, le vin se respire, le vin se déguste, le vin se ressent... Certains pourront même l'écouter ! Ce breuvage magistral a certainement encore bien d'autres secrets que nous n'avons pas découverts et qu'il conserve mystérieusement...

La dégustation

« Qui sait déguster ne
boit plus jamais de vin
mais goûte des secrets. »

Salvador Dali

INTRODUCTION
À LA DÉGUSTATION

La dégustation possède son jargon. Sans chercher à dresser une liste exhaustive des termes couramment usités dans ce domaine, voici présentées les définitions de quelques mots ou formules jalonnant ce texte. Leurs redondances en cours de lecture n'auront cependant d'autre but que celui d'être clair. Un lexique en fin d'ouvrage viendra compléter cette nomenclature.

Levures indigènes : ces levures, naturellement présentes sur le raisin, font partie de la flore microbiologique de la vigne. Elles sont exploitées dans le processus de la fermentation naturelle et spontanée contrairement aux levures sélectionnées, issues de laboratoires et dites exogènes, qui provoquent une fermentation contrôlée. Les levures sont les principaux agents de la transformation du jus de raisin en vin.

Chaptalisation : c'est l'ajout de sucre dans le moût de raisin. Cette opération est destinée à élever le titrage alcoolique final. Elle a pour conséquence directe une accélération de la fermentation.

Attaque de bouche : première sensation arrivant dès que le vin entre en contact avec la langue.

Milieu de bouche : deuxième sensation par laquelle toute l'ampleur du vin est ressentie. C'est la représentation dans le vin de la chair du raisin.

Finale : sensation révélant certaines caractéristiques du vin en fin de bouche ou après avoir avalé le vin.

Retour de bouche ou rétro-olfaction : sensation arrivant lorsque la bouche est vidée ; elle révèle les flaveurs, c'est-à-dire goûts et odeurs considérés conjointement, une fusion aromatique des saveurs, parfums, tanins, acidité, minéralité etc.

Anthocyanes : voir maturité phénolique.

Maturité phénolique : le raisin contient des polyphénols ou acides phénoliques. Ces puissants composés antioxydants naturels sont regroupés en quatre familles de flavonoïdes dont les anthocyanes responsables de la pigmentation de la peau du raisin, et les tanins présents dans la peau et les pépins. Les tanins ont un goût amer et astringent d'autant plus prononcé que le raisin est vert. Ceux du vin rouge sont condensés et insolubles dans l'eau mais présentent une excellente biodisponibilité (leur absorption serait responsable d'une augmentation de la vitamine E dans le sang). La maturité phénolique découle de l'équilibre existant entre la pulpe sucrée du raisin et l'astringence des tanins de la peau et des pépins, et indique donc le stade de maturation du fruit. Un bon vin provient d'un raisin ayant une bonne maturité phénolique.

Minéralité : caractéristique gustative dévoilant un effet inorganique en bouche analogue à de la roche (on peut sucer des cailloux pour en avoir une idée). Ce goût ou impression de goût en bouche témoigne d'une viticulture et d'une vinification naturelles, marques de terroirs.

Robe : comme une femme, le vin s'habille de couleurs et d'effets de texture que la lumière révèle ; c'est la robe.

Nez : c'est une caractéristique typiquement olfactive exprimant tout ce que le vin a d'aromatique et de volatil. Tel un bouquet de senteurs, le vin déploie des parfums de fruits, de fleurs, d'herbes etc. qui sont autant de signes de ses origines, de sa maturation, de sa vinification... Il existe deux nez (voir chapitre « L'étude du nez »).

SO_2 : anhydride sulfureux ou dioxyde de soufre. Derrière ces appellations inquiétantes se cache un composé chimique naturellement présent sur le raisin pour assurer sa protection contre certains agents pathogènes extérieurs. Cependant, il est ajouté sous sa forme isolée en début de fermentation dans le but de neutraliser un excès d'acidité susceptible de se développer en cours de vinification. Le SO2 n'est pas l'ami de nos cellules cérébrales, c'est pourquoi, utilisé en abondance il peut provoquer des migraines. Il est à noter que certains vignerons l'emploient en très faibles quantités ou pas du tout comme dans le cas de la viticulture biodynamique.

Fermentation malolactique : acide malique du raisin ayant été transformé en acide lactique par l'action de certaines bactéries. Le résultat de cette fermentation est une acidité plus douce ; elle permet en outre une stabilisation et un assouplissement du vin, deux effets visés dans la vinification des rouges. La fermentation malolactique intervient généralement après la fermentation alcoolique et provoque un dégagement de gaz carbonique (dioxyde de carbone) avec une légère augmentation de l'acidité volatile du vin.

Sensibilité et mémoire : les clés du goût

- « Qui êtes-vous pour juger ce vin ? »
- « Quelles références avez-vous ? »
- « Qu'est-ce qui vous permet de juger ce vin, sachant que les goûts et les couleurs sont une affaire personnelle ? »

Tel est le genre d'interrogatoire auquel je suis parfois soumis au hasard des rencontres, et à la suite duquel je ne tarde pas à avouer : la dégustation est une affaire de sensibilité et de mémoire ! Nos papilles, ces capteurs sensitifs étonnants, ont cette capacité mnémonique ; encore faut-il faut les éduquer !

Les pédiatres ont démontré que les enfants de moins de cinq ans avaient plus de facilité à reconnaître et à aimer un arôme de synthèse qu'un arôme naturel. Pourquoi cela ? Tout simplement parce que les produits de consommation courante comportent trop souvent – outre additifs, conservateurs et colorants – des exhausteurs de goût et des arômes synthétiques. Nos papilles y sont habituées, notre mémoire gustative opère donc par reconnaissance. La mémoire c'est le savoir ; lorsque le palais ne connaît que les aliments et boissons standards, il lui est difficile d'apprécier ceux qui ne le sont pas et qui présentent une diversité de saveurs et de flaveurs s'inscrivant dans la subtilité. Une personne habituée à manger trop salé, par exemple, ajoutant systématiquement du sel dans son assiette, bien souvent même avant d'avoir entamé son repas (ce cas est récurrent), sera bien incapable d'apprécier à sa juste mesure une simple feuille de salade.

Les vins vinifiés en levures indigènes présentent des caractéristiques particulièrement complexes et sont en mesure de déployer une multitude de saveurs qu'il faut pouvoir déceler et discerner...

Éduquons notre palais !

L'hygiène alimentaire du dégustateur professionnel doit être parfaite : s'abstenir de fumer, le tabac réduit considérablement les facultés du goût ; éviter l'alcool, la saturation des tissus organiques, en particulier pulmonaires, due à la dégradation éthylique va également à l'inverse d'une amélioration des capacités sensorielles du goût et de l'odorat ; pas d'alimentation chimique et pas de sodas non plus pour les raisons indiquées plus haut ; à savoir exhausteurs de goût, sel et sucre en excès.

Bien que je n'aie pas la prétention d'être le meilleur sommelier de France et pas davantage un journaliste spécialisé, une certaine expérience acquise par la pratique au cours du temps m'a permis d'établir une relation entre les vins trop chaptalisés, issus de vignes « chimiques », présentant une haute teneur en soufre, et mes maux de tête. Depuis plusieurs années, je soigne mon hygiène alimentaire en développant la sensibilité et la mémoire des papilles gustatives. Grâce à cette expérience évolutive, véritable entraînement, il m'est désormais possible de vous présenter ces bases de la dégustation.

Deux approches fondamentales

La dégustation buccale

La plupart des dégustateurs professionnels jugent le vin sur la bouche, la concentration et les tanins. Je l'appelle l'école buccale. L'exemple type du style « buccal » est le vin « parkerisé » (du nom de Robert Parker, journaliste américain spécialisé qui a donné un grand coup de pouce au Médoc grâce à ses livres). Cependant, nombre de dégustateurs oublient l'importance du retour de bouche.

Quelques suggestions

- « Il faut s'écouter et non écouter les autres pendant une dégustation » (Max Léglise, « Initiation à la dégustation »). Ce conseil est essentiel !
- Ne jamais juger un vin sur son étiquette. J'ai dégusté de grands vins de table et de mauvais grands crus. Par exemple, en 1995 à Nantes, j'ai piégé des sommeliers avec un Muscadet. Ils pensaient tous à un Chablis.
- Ne jamais juger un vin sur son millésime. Il n'y a pas de grandes ou de petites années, mais seulement de bons ou de mauvais vignerons. En 1992, j'ai dégusté des vins de la maison Pierre Bourée, millésimés 1981 et 1982. C'était magnifique ! Pourtant, à cette époque la plupart des bouteilles d'autres domaines étaient passées.
- Toujours recracher pour déguster ! Ne pas avaler le vin lors de la dégustation. C'est le geste qui sauve le dégustateur. D'autant plus que les sensations restent les mêmes que lorsque vous avalez. En effet, si vous buvez plus que de raison, vous ne savez plus ce que vous dégustez. En recrachant, vous vous entraînez, et plus vous recrachez, plus vous apprenez. Vous devenez un bon amateur et vous êtes exigeant avec le vigneron. Si le vigneron s'aperçoit que le consommateur devient difficile, il fera plus attention à sa production et se remettra en question. Alors si un jour vous allez dans un salon, qu'il soit à la Porte de Versailles ou à Groslay, je vous conseille de recracher !

La dégustation Spirituelle

Les vins issus de l'agriculture biologique certifiée ou non, vinifiés avec des levures indigènes et contenant peu ou pas de soufre peuvent être puissants, mais les tanins des vins rouges de ce type sont fins et ne déséquilibrent pas le vin, notamment grâce à une onctuosité de **l'attaque de bouche**, preuve d'une bonne maturité phénolique.

Ces vins ont un **retour de bouche** imposant pouvant durer plusieurs minutes. Ils n'assèchent pas ; la minéralité et le menthol (caractéristique aromatique) ne les rendent jamais écœurants. Je les appelle « spirituels » ou de style « Prelitte » (Petits Rendements Levures Indigènes et Travail de la Terre). C'est après la déglutition que ces vins reviennent « hanter » vos papilles. Leur complexité aromatique excite les sens. Elle est le fruit du travail des sols, de la vinification sans artifices (pas de levures et peu de soufre). Vous l'aurez compris, je fais bien sûr partie de cette école de dégustation...

L'examen visuel

Le vin possède ce que l'on appelle une robe, il faut pouvoir l'observer pour l'apprécier. À ce titre, on le versera dans un verre transparent ; l'examen se pratiquera toujours sur un fond blanc.

L'aspect du vin

On dit qu'un vin est limpide lorsqu'il est exempt de particules en suspension. Il est dit trouble lorsque, sans avoir été filtré au préalable, il contient des matières microscopiques immergées qui brouillent la transparence.

Définitions des couleurs

Les couleurs et les teintes peuvent donner une indication sur les vins, comme par exemple leur maturité. Cependant, elles ne sont pas une preuve de la qualité.

Les vins blancs
- **Jaune pâle à reflet vert :** vin blanc jeune, non élevé en fût de chêne.
- **Jaune prononcé (un beau jaune couleur citron) :** nous le voyons dans la plupart des vins blancs.
- **Jaune orangé :** vin un peu plus vieux ou sans ajout de SO2 (soufre).
- **Or :** vin liquoreux ou vin de Bourgogne de vingt ans.

Les vins rosés
- **Orange saumon :** vin rosé léger.
- **Grenadine :** vin rosé de repas.

Les vins rouges
- **Encre (noir, le fond du verre est invisible) :** vin jeune et concentré.
- **Cerise intense (beau rouge) :** vin jeune.
- **Cerise semi-intense :** vin sans grande concentration.
- **Brique :** vin vieilli.

Attention à la couleur ! Elle n'est souvent que le signe de l'évolution du vin ; je ne regarde que rarement la couleur, je concentre mon attention sur les arômes... Comme chez les êtres humains, le vin peut revêtir une apparence trompeuse ! Soyez attentif au cœur...

L'étude du nez

Le « nez » du vin est un terme que chacun peut comprendre d'intuition. Il s'agit de tout ce que le vin peut déployer comme qualités olfactives dans la mise en correspondance de ses molécules aromatiques avec les capteurs sensoriels. Il est donc conseillé pour cela de remplir le verre au tiers de sa capacité afin de permettre au vin de développer son nez et de libérer pleinement ses « fragrances ».

Le bouchon a du nez

Lorsque le vin est débouché, il est recommandé de sentir le bouchon. Au départ cela peut ne rien révéler de particulier, mais lorsque les sens se développent, le nez du bouchon – surtout si ce dernier est de bonne qualité – est le miroir du vin. Il donnera alors une bonne indication sur la vinification, à savoir s'il s'agit d'un vin naturel ou trop soufré.

Le double nez du vin

Avant de le boire, le vin se déguste par l'odorat, il faut alors optimiser cette opération par une technique simple qui lui ouvrira deux nez.
Le **premier nez** est celui que l'on sent alors que le verre est immobile. Il est nécessaire dans un premier temps de ne pas agiter le verre après avoir versé le vin, puis l'inhaler – c'est le moment de détecter les arômes les plus subtils du vin – et se faire un jugement préliminaire.
En second lieu, on imprimera au verre un mouvement rotatif en le respirant à nouveau. Cette agitation, en étendant la surface du vin en contact avec l'air, fait apparaître le **deuxième nez** et permet d'en sublimer les arômes. Des effluves plus lourds, nécessitant d'être exacerbés de la sorte, se dévoilent alors. Si le premier nez est différent du second, s'ils sont complexes de

surcroît, le vin sera complexe !

Je me méfie des nez aromatiques, extravertis, car généralement dès qu'ils sont en bouche on est déçu. En revanche un nez discret qui évolue progressivement révèle un vin complexe (souvent issu d'une terre labourée, sans excès de produits chimiques et vinifié en levures indigènes).

Un nez expressif

Le nez est très démonstratif, l'intensité olfactive est une description suggestive de la « quantité » d'arômes offerts par le vin. Relativement au nez on dira qu'il est :

Ouvert : le nez est expansif. Nous avons ici plusieurs possibilités :
- Le vin est à base de levures sélectionnées (car elles donnent souvent un côté aromatique).
- Le vin a déjà quelques années. Il est en pleine maturité.
- Le cépage est aromatique, par exemple un vin de Muscat.

Discret : le nez s'exprime très peu. Un vin rouge jeune, à base de levures indigènes, donne un nez discret de menthol, de minéralité et de réglisse. Le fruit ouvert ne vient que plus tard.

Aromatique : le nez explose, les arômes sont libérés. Vous en avez « plein les narines » ! Dans ce cas :
- Le vin a été vinifié à partir de levures sélectionnées.
- Le cépage est aromatique (ex : Muscat, Gewurztraminer).
- Le vin est en pleine maturité.

Fermé : un nez sans arômes. C'est sa jeunesse et sa concentration qui en sont les causes. Il peut devenir discret au deuxième nez.

Pur propre : un nez sans surplus de SO_2 (soufre).

 Remarque

Un nez aromatique est toujours ouvert, mais un nez ouvert n'est pas obligatoirement aromatique.

Petit tour aromatique : la variété du nez

Selon Max Léglise, auteur de « Une initiation à la dégustation des grands vins », les variétés de nez sont classées en neuf catégories. Cette liste est présentée ci-dessous. J'y ai ajouté certaines indications concernant les vins dans lesquels on peut retrouver ces arômes. Bien entendu, tout cela est subjectif et ne constitue pas une « bible » de référence absolue mais une aide pour les néophytes.

❶ *Les fruits*

Les vins rouges (fruits rouges) :

- **Cerise :** Pinot noir (Bourgogne).
- **Cassis (de crème) :** vin issu de raisin très mûr, bonne maturité phénolique (typique de Côtes-du-Rhône, Sud-Ouest ou de Languedoc).
- **Groseille :** vin primeur comme le Beaujolais nouveau.
- **Framboise :** vin jeune.
- **Mûre :** on ressent généralement cet arôme dans les vins de Bordeaux ayant une bonne maturité phénolique.
- **Fruits rouges de synthèse de certains bonbons :** vins rouges vinifiés en levures exogènes.

Le vin Blanc :

- **Pamplemousse :** Sauvignon, Chablis.
- **Ananas :** Sauvignon de terre travaillée.
- **Orange :** Chablis ou Mâcon.
- **Écorce d'orange :** vin issu de raisin qui manque de maturité.
- **Mangue :** les fruits exotiques sont présents dans des vins rouges issus de terre tendre (sable).
- **Poire :** vin blanc de Bourgogne élevé en fût de chêne.
- **Pomme :** vin blanc jeune ou du cépage Mauzac.
- **Coing :** confit, la marque des vins moelleux comme le Coteau du Layon.

❷ *Les fruits secs, confits et de pâtisserie*

- **Amandes :** le vin de Meursault, lorsqu'il est amer, c'est que le raisin manque de maturité.
- **Cacahuète :** je l'ai déjà sentie dans des vins blancs élevés en fûts de chêne, ayant une bonne maturité.
- **Anis :** vin blanc du sud issu de cépages Roussanne ou Bourboulenc.
- **La réglisse ou Zan :** vin rouge, souvent en rétro-olfaction. C'est une mar-

que du terroir. Mais lorsqu'il est seul, c'est que le vin est issu de levures sélectionnées de laboratoire.

❸ *Les végétaux : herbes et fleurs*

Les herbes et plantes

- **Basilic :** vin du sud.
- **Laurier :** vin concentré, de belle maturité.
- **Thym, Coriandre.**
- **Menthe :** surtout en rétro-olfaction, elle donne la fraîcheur du vin.
- **Tabac :** avec le miel, marque de grand vin rouge.

Fleurs

- **Rose :** Gewurztraminer (blanc d'Alsace).
- **Genêt :** note du Muscadet.
- **Lavande Laurier.**
- **Violette :** vin rouge.

❹ *Les odeurs torréfiées*

- **Café :** vin rouge issu de raisins récoltés très confits.
- **Caramel :** vin passé en fût de chêne.
- **Cacao :** Banyuls, mais avec des arômes de cerise.
- **Amande grillée :** Meursault blanc magnifique de quelques années.
- **Thé.**

❺ *Les légumes*

- **Poivron :** Cabernet-Sauvignon (cépage du bordelais) qui manque de maturité.

❻ *Les épices souvent dans les vins blancs et vins rouges issus de raisins chaleureux.*

- **Poivre :** Syrah et Gamay, mais très mûrs.
- **Cannelle, Muscade, Cardamome :** on les retrouve dans des vins blancs concentrés.

❼ *Les arômes alimentaires*

- **Miel ou cire d'abeille :** vin blanc (le plus souvent) de quelques années, sec ou liquoreux. Mais aussi dans des vins rouges vinifiés sans artifices et élevés en fût de chêne.

- **Cidre :** Champagne ou vin rouge jeune, vinifiés avec les levures indigènes.
- **Beurre :** Meursault, Puligny-Montrachet, Chassagne-Montrachet, certains Muscadets de terroir riche ou vin blanc élevé en fût de chêne.

⑧ *Les arômes animaux*

- **Le cuir :** vin rouge masculin du Languedoc-Roussillon.
- **La fourrure :** grand Bourgogne rouge (La Tâche, la Romanée-Conti)
- **La ferme :** c'est une période délicate pour le vin. En effet, certaines levures indigènes le protègent en dégageant du soufre et une odeur de ferme. Il suffit donc de le carafer. Si l'odeur reste après un séjour en carafe, ce sont de mauvaises levures appelées Brettanomycès.
- **Le ventre de lièvre :** vin rouge mort.

⑨ *Autres*

- **Le marc de vin :** les résidus (pépins, peaux) sont distillés, cela donne le marc de raisin. Un vigneron qui vinifie de manière naturelle retrouve dans son chai et dans son vin, le marc de vin.
- **Le kirsch :** vin rouge (souvent de Bourgogne) d'une année chaude ou de plusieurs années.
- **La minéralité :** goût de pierre à fusil (vin rouge ou blanc). Elle est la marque du terroir. C'est la mise en évidence de la roche mère sur laquelle poussent les vignes. La minéralité est caractéristique du travail des sols et de l'utilisation des levures indigènes. À l'inverse, les sols de vignes compactés car non travaillés ne permettent pas une expansion optimale des racines, gage d'un bon échange minéral entre la terre et la plante.

Reconnaître le bon nez

Il faut savoir qu'un bon nez est à la fois **discret et complexe**, sans oublier que le nez a une double expression ; ainsi le premier nez doit être différent du second.

Le nez du vin doit exprimer la **maturité phénolique** ; un raisin mûr développe des arômes de fruits extrêmement mûrs :
- pour les vins rouges, la crème de cassis ou de mûre ;
- pour les vins blancs, le coing, la poire ou autres fruits bien mûrs.

En revanche, une vendange précoce effectuée sur des raisins qui n'ont pas atteint leur maturité phénolique donne un vin développant un nez de pépins.

Un nez **de marc de vin** ou **de raisin frais** est le résultat d'un vin élaboré sans excès de produits chimiques.

Avez-vous du nez ?

Pour s'exercer à reconnaître les arômes, voici deux petits jeux auxquels vous pourrez faire participer vos amis. Ces exercices proviennent du livre de Max Léglise et de mon expérience. Je ne vous conseille pas d'utiliser des arômes artificiels pour vous entraîner. Ils saturent l'atmosphère et ne permettent pas de découvrir les subtilités aromatiques.

Jeu des arômes

Il vous faut des confitures maison ou issues de l'agriculture biologique, du thé et de la réglisse naturelle.

Prenez du thé (déjà infusé), faites-le chauffer avec du zan (réglisse bio à 97 % pur), et un autre produit qui sera, au choix, une confiture, du miel ou du caramel (que vous avez réalisé vous-même). Mélangez bien l'ensemble. Faites plusieurs déclinaisons sur la même base : thé ou infusion (verveine ou camomille) + zan + autre produit (confiture, caramel ou miel).

Dans des verres INAO (verre officiel de dégustation professionnelle), humez les différentes formules des breuvages que vous avez préparés et dégustez-les en vous entraînant à reconnaître les différents arômes : banane, cassis, framboise, miel, café, zan, thé, verveine, camomille.

Ce jeu peut se faire avant un repas de dégustation ! C'est amusant et idéal pour apprendre à reconnaître les arômes.

Jeu des bonbons

Faites deux mixtures :

■ **Premier mélange :** faites fondre des bonbons aux arômes de synthèse (réglisse et fruits rouges) dans de l'eau frémissante et laissez reposer. Passez le tout au mixeur.

■ **Deuxième mélange :** faites fondre de la réglisse bio pure à 97% et de la confiture de fruits rouges (même arôme que les bonbons de synthèse) dans de l'eau frémissante et laissez reposer. Mixez.

Vous allez ensuite déguster les deux breuvages séparément et en barbotant (c'est-à-dire en aspirant de l'air afin d'amplifier les arômes). Le breuvage aux arômes de synthèse sera aromatique et court en bouche. Le second très discret mais très long en bouche : après l'avoir avalé vous l'aurez toujours en bouche.

L'étude de la bouche

Des cinq saveurs dont on fait quotidiennement l'expérience, seuls le sucré, l'amer, l'acide et le salé se retrouvent dans la dégustation du vin. La saveur piquante est absente ; il faut dire que cette dernière ne concerne pas le bon vin.

La sensation sucrée

Le sucré est signe d'une bonne maturité du vin. Cette saveur se manifeste à l'attaque et en finale (voir tableau).
Les composés phénoliques du vin, en particulier les tanins et les antho-cyanes, proviennent des parties solides du raisin (pépins et pellicules). La maturité phénolique du raisin est la symbiose de la maturation des trois composants principaux du raisin : la peau qui entoure le raisin, la chair ou pulpe, et les pépins.

Un raisin récolté mûr ayant une bonne maturité phénolique (sa peau n'est pas dure, sa chair est juteuse et ses pépins sont marrons avec un goût proche de l'amande) donne un vin dont l'attaque de bouche sera onctueuse et la finale de bouche sans retour de pépins (dureté).

> **La chaptalisation** (ajout de sucre dans le moût pour fermenter le jus de raisin) ne gomme pas l'insuffisance de maturité des raisins, mais augmente le degré alcoolique. Un vin issu de raisins cueillis verts, soufré et trop chaptalisé est susceptible de donner des maux de tête.

LA SAVEUR SUCRÉE DANS LE VIN		
Vins	**Causes**	**Conséquences**
Rouge	Maturité phénolique optimum	Attaque onctueuse, sans finale de pépin amer
Blanc	Maturité optimum et présence de Botrytis cinerea (pourriture noble)	Attaque onctueuse et finale de sucre résiduel. Finale moelleuse pour les vins blancs moelleux et liquoreux.
Rosé	Maturité phénolique optimum	Finale ronde, moelleuse et finale onctueuse (exemple Cabernet d'Anjou).
Champagne	Ajout de sucre	Finale ronde et moelleuse

La sensation amère

Que dire de cette sensation détestée par certains et adulée par d'autres... Beaucoup de professionnels du vin l'ont oubliée. Généralement elle est confondue avec l'astringence qui est le « côté obscur » de l'amer.

Depuis peu, on a découvert le *glutamate*. Relevé dans les grands vins blancs, il serait lié à l'élevage du vin. Cet antioxydant est amer dans sa jeunesse et onctueux par la suite.
La saveur amère provient, d'une part, des tanins végétaux présents sur la peau des raisins – ces derniers sont responsables des propriétés gustatives

qui donnent aux vins une partie de ses caractéristiques amères (on ne les retrouve que dans les vins rouges) ; d'autre part, des tanins du bois : lors de l'élevage en fût de chêne, le bois apporte au vin ses tanins.

Et enfin, du retour de pépins de raisin : c'est la conséquence d'une maturité phénolique moyenne (les pépins à la cueillette du raisin étaient verts et non de couleur marron). La sensation peut s'estomper, on la rencontre fréquemment dans les vins à base de Pinot noir.

 La **minéralité** est souvent décriée par les néophytes comme une saveur amère, c'est pourquoi vous la retrouverez dans cette catégorie. C'est une sensation de pierre en bouche. Elle résulte de la symbiose entre une vinification en levures indigènes et une agriculture saine (labours des sols sans désherbants chimiques).

Lors de la dégustation d'un vin, ces sensations amères arrivent en fin de bouche ou en rétro-olfaction. La saveur amère est ressentie sur les parois de l'arrière bouche, ainsi que sur les côtés de la langue. Cette perception est souvent néfaste pour le dégustateur ; elle réveille pourtant les papilles et excite le cerveau. Le bon équilibre aromatique reste à trouver. En effet, des tanins aussi bien qu'un retour de pépins trop marqués constituent l'astringence (une mauvaise amertume selon moi). La maturité phénolique est très importante pour un équilibre des saveurs. Lorsque les tanins sont responsables d'un déséquilibre du vin, il existe au moins deux raisons :

- le manque de maturité phénolique (la peau du raisin était trop dure ou trop épaisse) ;
- un vin dilué élevé dans un bois neuf (le manque de concentration du vin a subi la force tannique du bois).

Exercice pour reconnaître l'amertume

Acheter des tanins dans une pharmacie. Mettre un peu de tanin et de sucre dans de l'eau froide. Plus vous ajouterez du sucre, plus les tanins seront fins.
Si vous voulez de l'amertume, je vous conseille d'acheter de la poudre de Gomphrena (commercialisée par Guyapi), une plante amazonienne (bio) contre le stress. Cette plante très amère vous titillera les papilles.

La saveur acide

Vous avez dans la bouche une sensation vive comme du citron. « Les œnologues étudient plusieurs acides organiques, dont les plus importants sont l'acide tartrique, l'acide malique, l'acide citrique, l'acide succinique, l'acide lactique et l'acide acétique. On distingue les acides fixes, qui ne peuvent être séparés du vin par distillation et qui sont à l'origine du caractère rafraîchissant du vin, des acides volatils. » (Extrait du livre de Michel Dovaz « 2000 mots du vin » éditions Hachette).

L'acidité mélangée à la minéralité est la mise en évidence de la roche mère sur laquelle poussent les vignes. Elle est caractéristique du travail des sols et de l'utilisation des levures indigènes. L'acidité excessive est due aux raisins trop verts ou à un ajout acide. Dans un vin, Il faut de l'acidité, de l'amertume et du sucre. L'équilibre des trois donne l'équilibre idéal du vin.

Exercice pour reconnaître l'acidité

Dans un verre d'eau, mettez du jus de citron puis du sucre en moindre proportion. Plus vous diminuerez la quantité de sucre, plus vous sentirez l'acidité.

Le salé

Oubliée par certains dégustateurs (et pour cause, on compte environ 3mg/l de substances salées et sels minéraux selon Michel Dovaz), cette saveur se retrouve dans des vins issus de terre saine, vinifiés en levures indigènes et dont le raisin a fortement mûri. Vous la trouverez dans des vins d'Alsace et certains vins moelleux (Muscat d'Antoine Aréna).

« Truc » de dégustateur

Afin d'optimiser les sensations gustatives, il est très important de barboter et de recracher. Il faut pour cela, lorsque le vin est dans votre bouche, aspirer l'air et le mélanger au vin (barboter). Cette action va développer les arômes en bouche et en retour de bouche. Un vin idéal respecte l'équilibre de l'attaque de bouche, du milieu de bouche et de la fin de bouche.

La bouche en trois étapes

L'attaque de bouche

L'attaque de bouche est la première sensation que l'on peut situer sur le bout de la langue. La sensation est onctueuse lorsqu'il s'agit d'un vin de bonne maturité. Une sensation ample est le signe que les vins seront à boire avec un minimum de vieillissement ou un carafage.

Vins blancs

La finale acide doit se fondre dans l'onctuosité de l'attaque de bouche. Les plus grands vins moelleux et liquoreux sont issus de vignes labourées et de vins vinifiés en levures indigènes ; cette symbiose engendre une acidité minérale qui est la colonne vertébrale du vin. Un vin blanc liquoreux ou moelleux sans acidité est un vin pataud.

Vins rouges

Pour un vin rouge, même issu de raisins très tanniques, les tanins doivent être fins et fondus dans le milieu et l'attaque de bouche. (les Coteaux de Quercy d'Anne Godin, les Costières de Nîmes de Rapatel ou Les Rudelles 2001 d'André Bourguet).

Les qualificatifs de l'attaque de bouche
Onctueuse : sensation de sucré, d'onctuosité, douceur, velouté.
Souple : sensation de souplesse, moelleux.
Ample : sensation de puissance d'amplitude, longueur, densité.
Dure : sensation de dureté, raideur, austérité, rugosité, âpreté. Vin imparfait, défectueux.

Le milieu de bouche

Un vin, si puissant soit-il, doit développer un milieu de bouche agréable et fluide. Cette sensation provient de la chair du raisin.

Les qualificatifs du milieu de bouche
Ample : sensation de puissance d'amplitude.
Onctueux : sensation sucrée (pour les vins moelleux).
Long : sensation persistante (pour les grands vins avec des petits rendements).
Semi-long : sensation de semi-persistance.
Court : la bouche s'en va très vite.

Etoffé, puissant : sensation de puissance.
Gras : sensation de gras, épaisseur.
Maigre : manque d'amplitude.
Concentré : on sent la puissance et la longueur. C'est le résultat d'une vendange de raisins mûrs et de rendements maîtrisés.
Dilué : sensation de facilité pour boire le vin. Le milieu est court. Les rendements viticoles sont élevés.
Racé : vin très élégant.
Masculin : vin puissant, viril.
Féminin : vin très élégant, tout en douceur.
Ouvert : vin agréable en bouche qui donne tout son potentiel.
Perlant : sensation de gaz carbonique.
Friand : vin facile à boire, léger (un bon Beaujolais nouveau).
Fermé : recroquevillé sur lui-même à cause des rendements ou du soufre.

 ## Milieu de bouche avec une sensation perlante

Le vin n'a pas subi de fermentation malolactique (fermentation de l'acide malique par certaines bactéries provoquant un dégagement de dioxyde de carbone) comme par exemple pour le Muscadet ou l'Alsace pour lesquels ce procédé est habituel.

La protection naturelle la plus aisée à mettre en oeuvre étant le gaz carbonique, le vigneron a gardé volontairement du gaz carbonique développé par l'activité fermentaire soit levurienne, soit bactérienne. Il suffit dans ce cas de carafer le vin.

Milieu dur avec une finale un peu métallique

Le soufre bloque le vin. Afin d'obtenir la preuve que le soufre bloque le vin, il vous suffit d'humer un verre de vin vidé de son contenu. Il aura un arôme de pneu ou d'allumettes brûlées. Le vin n'est pas fluide ; il n'est pas vivant comme il le devrait.

Milieu dur avec une finale asséchante, âpre, voire astringente

Lorsque le vin est élevé en fût, le bois peut en être la cause. Il peut déséquilibrer le vin.

Une matière première trop abondante donne un milieu de bouche dilué ; pour une bonne symbiose entre le bois et le vin, il faut une bonne concentration du raisin. Le travail de la terre est donc important car des vignes désherbées donnent plus de rendement ; la conséquence d'un grand rendement entraîne une moindre concentration du fruit.

La finale

C'est la sensation qui arrive en fin de bouche. Elle stimule les côtés de la langue et l'intérieur des joues.

La sensation en fin de bouche

L'acidité minérale : correspond au goût de pierre à fusil ou à l'eau de Contrexéville. Elle est la colonne vertébrale du vin. Elle est présente dans les vins vinifiés avec des levures indigènes. Elle peut être longue, courte tranchée, mais rarement agressive.

> À mes yeux, les sensations d'acidité et de minéralité sont liées. Pour David Lefebvre (œnologue de formation), c'est différent (lire témoignage).

L'acidité : lorsqu'elle est agressive ou trop vive, c'est souvent le symbole de « sous-vins », récoltés verts, sans pulpe et chaptalisés de manière intensive. Il existe, dans ce cas, un déséquilibre entre le milieu de bouche maigre, non développé, et l'acidité.

Lorsque le raisin est à maturité, son acidité se fond dans l'ensemble du vin. Cette sensation est présente sur la fin de la langue.

Un vin sans acidité est un vin pataud, lourd… Un grand blanc moelleux comme le *Coteaux du Layon* (domaine Les Sablonnettes de Joël Mesnard ou Château Suronde de Francis Poirel) possède une acidité minérale exceptionnelle, preuve d'un vin non chaptalisé.

Les tanins : ils ne sont présents que dans les vins rouges et peuvent être.

Durs mais fins : légère sensation de dureté.

Durs : ils accrochent la bouche.

Souples : la sensation de délicatesse est présente sur les côtés de la bouche.

La rétro-olfaction

C'est le retour de bouche par voie rétronasale une fois que le vin est recraché ou avalé. Les composés volatils du vin sont captés par les terminaisons olfactives des fosses nasales qui induisent un influx nerveux en direction du bulbe olfactif. Cette sensation peut être :

Courte, sans complexité : elle montre que le vin est issu de levures sélectionnées.

Minérale, complexe, longue : (de une à plusieurs minutes), elle prouve que le vin a été vinifié avec des levures naturelles et que la terre des vignes a été labourée.

Longue : sensation de persistance.
Courte : le vin s'éteint vite.
Semi-longue : pas trop longue, pas trop courte.
Complexe : finale ou rétro-olfaction amenant beaucoup d'arômes en bouche.
Standard : rétro-olfaction qui ne dit pas grand-chose.
Moelleuse : la finale est ronde avec du sucre résiduel (concernant souvent les vins blancs non chaptalisés et les vins moelleux).
Dure : sensation âpre en fin de bouche comme si on mastiquait de la mâche. Les tanins vous collent au palais.
Fine (les tanins) : les tanins collent peu sur le palais, tout en finesse et en élégance (Bourgogne)
Souple : les tanins ne collent pas au palais mais sont gouleyants.
Minérale : une rétro-olfaction ou une finale qui a un goût de pierre.
Ronde : l'acidité est dans l'onctuosité de l'attaque. Cela donne une finale ronde avec une acidité discrète (vins blancs).
Tranchante : finale franche droite avec une belle acidité.
Astringente : finale avec des saveurs rudes, voire austères.

Savoir reconnaître un bon vin

La maturité du raisin, le caractère du terroir, le degré d'oxydation dans le temps, les arômes en présence sont autant de facteurs susceptibles d'influencer votre jugement. Il s'agit de s'exercer à les reconnaître et à les identifier. Ainsi, les caractéristiques d'un vin sont des données physicochimiques que les organes du goût et de l'odorat devront décoder.

La propreté du nez

Afin de savoir si le vin est propre, c'est-à-dire sans odeur de soufre ni autres produits chimiques, humez le verre vidé !... Il dévoilera les défauts et les qualités du vin.

Le verre vidé peut révéler des arômes différents de ceux des fruits, comme par exemple le soufre ou le vernis à ongle. De plus, si le vin n'est pas vinifié proprement, vous pouvez ressentir des maux de tête.

La maturité du raisin

Les arômes de maturité

- **Épices :** surtout dans les vins rouges de Loire ou de Beaujolais. Les arômes d'épices sont souvent un signe d'une bonne maturité phénolique des raisins. Le vin n'a pas été chaptalisé (exemple : poivre dans le Beaujolais).
- **Crème de mûre ou de cassis :** surtout dans des vins à base de Syrah ou Grenache.
- **Coing :** dans le vin blanc à base de Chenin ou de Muscadet.

Un vin du sud peut être épicé sans qu'il y ait de maturité phénolique. Généralement, il révèle en fin de bouche des arômes de pépins. Un vin du sud, rouge, ayant une bonne maturité, doit développer des arômes de crème de cassis ou de crème de mûre.

La sensation de maturité dans le vin.

L'attaque de bouche est la première sensation en dégustation. Elle se manifeste sur le bout de la langue. Le vin est issu de raisins mûrs lorsqu'il procure la sensation d'onctuosité.

Le terroir

La marque du terroir

La rétro-olfaction minérale est caractérisée par un goût de pierre à fusil après absorption du vin. Elle est présente lorsque le vin est issu de vignes labourées et qu'il a été vinifié avec des levures indigènes (levures présentes naturellement, sans ajout de levures industrielles). C'est pourquoi un vin de terroir devrait être élaboré selon ces règles de vinification et de travail de la terre.

Un vin vinifié avec des levures sélectionnées de laboratoire aura des arômes épicés pour le blanc et des arômes prononcés de zan pour le rouge.

Les arômes de terroir

- **Marc de vin :** présent dans les vins rouges purs et propres souvent issus de l'agriculture biodynamique ou biologique.
- **Sauvage, ferme écurie :** les levures indigènes dégagent du soufre. Certains vignerons (Claude Courtois, Michel Augé, Julien Guillot) prétendent que c'est une autoprotection du vin. Il suffit de le carafer pour éliminer cette odeur. Il ne faut pas les confondre avec les levures Bret qui sont de mauvaises levures parfois en présence dans le chai. Lorsque l'odeur persiste après carafage, c'est à cause des levures Bret.
- **Le menthol :** souvent dans les vins blancs, parfois dans les rouges (Gamay). Il permet d'équilibrer le vin et de ne pas assécher la bouche. Se retrouve uniquement dans les vins vinifiés en levures indigènes et de sol travaillé.
- **La minéralité :** au nez, et surtout en rétro-olfaction. Elle ressemble à un goût de pierre à fusil. Seuls les vins vinifiés en levures indigènes et de sol travaillé la révèlent.

Le degré d'oxydation dans le temps

Un vin est jugé sur une semaine. Élaboré avec des produits chimiques, le vin laissera apparaître de la moisissure au bout d'un mois. D'autre part, les produits chimiques (produits phytosanitaires) déstabilisent la faune et la flore. Le raisin récolté n'est donc pas dans un état optimal de vinification. On est obligé de chaptaliser, de sulfiter, d'acidifier, d'ajouter des tanins ; ce qui a pour effet d'affaiblir le vin. Le temps, une fois la bouteille ouverte, « déshabille » ce type de vin et révèle peu à peu la réalité du produit.

Un vin issu de l'agriculture biologique et vinifié en levures indigènes peut rester ouvert plus d'une semaine. Il est possible de constater une évolution, grâce à la bonne santé et à la concentration de la matière première (raisins).

Un vin d'une grande qualité, sans « maquillage », peut se déguster même sur une durée de dix jours.

Signes de vinifications non naturelles

Les arômes artificiels

- **Caoutchouc brûlé :** vin trop soufré (Pour le vin blanc, lorsque le verre est plein. Pour le vin rouge, lorsque le verre est vide).
- **Arômes de synthèse de fruits :** le vin est vinifié à base de levures sélectionnées.
- **Le nez de Crésyl** ® (désinfectant pétrochimique pour le poulailler) : on peut le retrouver dans les vins de cépage Cabernet et dans certaines régions. Cependant, les vignerons n'en ajoutent ni dans leurs vignes ni dans leurs vins. Mais c'est une odeur très désagréable qui ne s'estompe pas.

Levures sélectionnées et rétro-olfaction

Le retour en bouche rétro-olfactif des vins vinifiés avec des levures sélectionnées dévoile un arôme de zan qui témoigne d'une absence de minéralité. Ces vins n'ont, en outre, aucune complexité.

L'art de servir

Ouvrir, évaluer...

Un bon vin

C'est un vin qui demeure bon dans sa jeunesse, dans sa maturité et sa vieillesse. Lorsque j'évalue un vin, je le déguste toujours dans le temps : dix jours pour les meilleurs.

Un vin concentré

C'est le résultat de fruits purs et mûrs et de faible rendement. Il peut rester jusqu'à plus de dix jours d'ouverture.

Déguster les vins blancs à 17° le deuxième jour d'ouverture permet de détecter une acidification ou un ajout de produits chimiques. Si un vin est meilleur dans le temps, il s'agit d'un vin naturel.

Un vin bloqué par le soufre

Il ne pourra pas dévoiler toute son amplitude comme le fera un bon vin au bout de six jours d'ouverture, et généralement, du fait de la présence de produits chimiques, le moment de la dégustation venu c'est le dégustateur qui « déguste ».

Comment consommer ?

En carafe ou en bouteille ?

Carafer le vin consiste à transvaser une bouteille dans une carafe afin de l'aérer. La **décantation**, quant à elle, est l'action de dissocier les parties liquide et solide du vin (dépôts).
Si le vin émet du gaz, il suffit de le carafer. Le gaz est un protecteur du vin, mais généralement il est mal compris du grand public.
Pour savoir si un vin d'une dizaine d'années d'âge doit être carafé ou décanté, il faut d'abord ouvrir une bouteille de vin, emplir un verre au tiers de sa contenance, reboucher la bouteille, puis déguster le vin et en laisser une partie dans le verre. Un quart d'heure plus tard, si le vin est meilleur, vous pouvez ouvrir ou carafer le vin à l'avance.
Je ne décante ni ne carafe les vieux vins. Je préfère laisser respirer le vin, c'est-à-dire l'ouvrir à l'avance. En revanche, je carafe un vin jeune, même un blanc.
Lorsque les tanins du vin sont collés à la bouteille, c'est une preuve que le vin est à boire sans attendre.

Attention, si vous décantez un vin vieux, le risque est de casser le vin. Afin de ne pas prendre de risque, je vous conseille d'en servir un verre et goûter. Si le vin dans le verre s'améliore de minute en minute, vous pouvez le passer en carafe, si au contraire il se détériore, ne pas décanter.

Servir un bon vin

Voici un tableau indicatif qui s'applique aux vins issus de l'agriculture biologique certifiée ou non et vinifiés avec les levures indigènes.
Le vin blanc jeune doit être carafé. Les vins blancs jeunes ou âgés de plusieurs années doivent être bus à 12°. En dessous de 10°, les arômes ne se développent pas.

Vins	Ouverture	À carafer ?	Température
Vins blancs jeunes secs	Si le vin est vraiment vivant, il défiera le temps.	Oui	12°
Vins blancs secs âgés de trois ans minimum	idem	Vous pouvez carafer un vin blanc jusqu'à cinq ans d'âge.	12° même 14° pour les grands noms comme Corton-Charlemagne
Vins blancs moelleux	idem	Pour les jeunes vins, pourquoi pas.	10° pour savoir si le vin moelleux que vous buvez est trop soufré : le déguster à 17°
Vins pétillants	idem	Non	Entre 10° et 12° selon votre goût
Rosés	idem	Non	10°
Vins aux tanins souples	idem	Pourquoi pas, si le gaz vous dérange !	15°, mais n'hésitez pas à le garder dans un seau d'eau fraiche pour le maintenir à bonne température.
Vins aux tanins durs mais fins ou gras	idem	Pourquoi pas !	Mais ouvrez le vin à l'avance.

Les attitudes de la clientèle novice face à un vin vivant (vin issu de l'agriculture biologique certifié et non certifié et vinifié en levures indigènes)

La Méditerranée (le restaurant dans lequel je travaille) m'a beaucoup donné de la réflexion. J'ai regroupé toutes les réactions entendues depuis quelques années.

Les vins rouges sont sucrés : en effet, les vins rouges vivants non chaptalisés et avec une bonne maturité phénolique possèdent une attaque onctueuse qui donne une sensation de sucre sur le bout de la langue.

Ce type de vin « gaze » : le vin vit, les levures travaillent et le vigneron a laissé un peu de gaz carbonique afin de le protéger. Il suffit de le carafer afin que le gaz parte.

Les vins blancs ont un nez oxydé : les vins vivants sont peu soufrés. Cela provoque une certaine évolution du nez avec une pointe légère d'oxydation.

Les vins rouges de Bordeaux sont plus légers. La plupart des vins de Bordeaux sont axés sur le milieu de bouche (style buccale). Le vin vivant est axé sur la rétro-olfaction minérale complexe et non sur le milieu de bouche et la finale.

C'est un résumé ludique et avec un raisonnement prometteur. Mais la plupart des novices qui découvrent les vins vivants leur restent fidèles. Ensuite, je me suis aperçu que de nombreux clients de la Méditerranée commande directement à la propriété. Je terminerai sur deux avantages des vins vivants. Le premier avantage est la redécouverte des vins blancs. En effet, ils sont plus digestes grâce à une vinification propre et ne vous donnent pas mal à la tête le lendemain. Le deuxième avantage correspond au restaurateur de ville ayant une clientèle qui ne conduit pas. A la Méditerranée, grâce à la digestibilité de ces vins et leur goût personnalisé, ce type de clientèle n'hésite pas à reprendre une deuxième bouteille.

La viticulture

Informations préliminaires

Selon la maison des Côtes-du-Rhône, en 2003 nous avions en France :
- 108 000 exploitations viticoles (1500 en agriculture biologique selon l'agence bio).
- 37 000 caves indépendantes.
- 870 000 hectares de vignes.

Sur les vingt-cinq pays de la communauté européenne, la France arrive en vingt-troisième position pour la production de vins issus de l'agriculture biologique (Agence Bio).

TROIS TYPES DE VITICULTURE

La viticulture conventionnelle

Vigne désherbée

C'est évidemment la plus répandue avec sa standardisation des méthodes, opérations phytosanitaires, techniques de fertilisation des sols ainsi que sa mécanisation autorisant les exploitations à grande échelle. C'est aussi celle qui consomme le plus de traitements issus des laboratoires chimiques et responsables des contaminations souterraines. À la base préfigurent les nécessités de rendements et principes de productions intensives conditionnées par la loi du marché européen et mondial ; ce marché même qui a ouvert la voie aux OGM, autre histoire...

Production et impact

Un sol très compact est ce que l'on peut trouver de pire dans un vignoble. Les pluies ne peuvent pas s'y infiltrer. Les racines ne s'enfoncent pas pour se nourrir mais restent en surface, à plus forte raison lorsque l'on a recours à la fertilisation par engrais azotés ; ce qui entraîne de surcroît la déstabilisation de la nappe phréatique.
L'apport de produits phytosanitaires à outrance (fongicides, insecticides), principale cause du déséquilibre de la faune et de la flore, est responsable de la destruction de la vie microbienne et fragilise la plante.
Pour vinifier les raisins produits par ces vignes, il faut absolument leur ajouter des levures de laboratoire sélectionnées . Les raisins issus de ce mode d'agriculture sont rarement mûrs et demandent une chaptalisation. En dégustation, un vin surchaptalisé donne une attaque de bouche souple et un retour de bouche de pépins.
Cette viticulture, qui a des répercussions non négligeables sur l'environnement, entraîne une certaine pratique de vinification ; c'est une véritable réaction en chaîne. Cette méthode entre dans une logique de grands rendements.

L'hégémonie chimique

Trois-cent-soixante produits chimiques peuvent être utilisés en agriculture conventionnelle, 80% des vignes sont désherbées à l'aide de produits phytosanitaires. Les quantités de produits chimiques en présence dans le vin sont quatre fois supérieures à celles qui sont trouvées dans le blé.
Les coûts sont énormes : pour exemple, un vigneron passant d'une agriculture conventionnelle aux pratiques de l'Agriculture Biologique voit sa facture de produits phytosanitaires divisée par quatre.

Coup d'œil sur la facture « chimique »

Objets	Estimations	Sources d'infos
Superficie du vignoble français (année 2000)	876 000 ha	Agreste cahier n° 3 octobre 2002
Utilisateurs d'herbicides	60 % (La question était : « Est-ce que les vignerons enherbent »). Donc, il faut estimer que certains enherbent et désherbent aux pieds. Mon estimation est de 90%	Onivin, novembre 2000 : Enquête sur les exploitations viticoles et leurs pratiques phytosanitaires réalisée par ASK business marketing intelligence. www.onivin.fr
Utilisateurs de fongicides et d'insecticides	Estimation : 90 %	1,75 % du vignoble français sont en bio. (Onivin, vin bio magazine).
Dépenses en fongicides par hectare et par viticulteur	350.63 / ha	Onivin novembre 2000
Dépenses en insecticides par hectare et par viticulteur	132.63 / ha	Onivin novembre 2000
Dépenses en herbicides par hectare et par viticulteur	150 / ha	Onivin novembre 2000

(Lire le témoignage de Claude Bourguignon, chapitre « Éclairages pros »).

Le contrecoup

Un déséquilibre de la faune et de la flore, à l'origine de la perturbation des prédations naturelles de certains nuisibles, a des effets délétères sur la vigne qui, « stressée », produit par conséquent des fruits en mauvais état (verts ou pourris) dont les levures naturelles (vie microbienne présente sur la peau des raisins) sont détruites. Les vignerons sont donc obligés d'ajouter des levures afin que le jus de raisin puisse fermenter.

Le déséquilibre des nappes phréatiques est en partie lié à l'activité des agriculteurs qui ne travaillent plus leur terre ; les sols sont donc tassés, l'eau de pluie ne pénètre plus et ruisselle. En 2002, en Champagne, un violent orage s'est abattu dans la région de Chalon-en-Champagne. Au lieu de s'infiltrer dans les sols de la vigne, l'eau a ruisselé dans les rigoles.

Les racines ne plongent pas dans la terre, ce qui influe sur la rétro-olfaction minérale. Ainsi, même dans des vins vinifiés en levures indigènes, elle reste très discrète. On a alors une perte des arômes spécifiques du terroir ! Ajouter des levures dans les vins provoque une rétro-olfaction standard, non minérale !

La lutte raisonnée

Depuis 1998, avec l'apparition sur le marché de nouveaux créateurs soucieux de leur santé et de celle des consommateurs, les ventes de produits chimiques ont baissé ! D'après de sérieuses études effectuées sur leur impact au plan de la santé, les agriculteurs utilisant des produits chimiques durs présenteraient des risques de cancer ou de stérilité au dessus de la moyenne nationale.

Une voie de passage avant la conversion

Certains viticulteurs en arrivent donc à une agriculture dite « raisonnée » sinon raisonnable et quelques-uns, travaillant de manière conventionnelle ou en agriculture raisonnée, ont une réelle conscience de la viticulture. Ils sont cependant peu nombreux. On peut citer en exemple les domaines non certifiés bio de la *Maurette* et de *Rapatel*. Leur travail ressemble à l'agriculture biologique certifiée.

Néanmoins, il existe une énorme différence entre l'agriculture biologique certifiée et la lutte raisonnée : la première interdit les désherbants chimiques, la seconde les tolère.

La lutte raisonnée n'est qu'une application de la loi émise par Bruxelles sur le taux de produits chimiques pouvant être utilisés par un agriculteur. Elle n'est pas « un sillon à creuser », mais un « pont à traverser ». L'objectif final est l'agriculture biologique certifiée ou non.

Cette lutte raisonnée est donc une amélioration, mais non une fin. L'agriculture biologique représente réellement l'avenir de nos enfants, de nos petits-enfants, et donnera une perspective au vignoble français.

L'agriculture biologique

*(Lire les témoignages de David Lefèbvre
et Jean Schaetzel, chapitre « Éclairages pros »).*

Il fut un temps où la formule « agriculture biologique » n'évoquait qu'une bizarrerie pseudo scientifique ne suscitant rien d'autre qu'un questionnement dubitatif pour nombre de personnes. Tandis que certains croyaient y déceler alors un sectaire mouvement néoécologiste, il ne s'agissait ni plus ni moins que de l'application du bon sens le plus simple.

Ce bon sens, fort heureusement s'est poursuivi, se vérifiant au cours du temps à travers l'augmentation du nombre des agriculteurs bio et la propagation de l'éthique correspondante. En quelques années, l'agriculture biologique est sortie de l'ombre. Depuis 1992 elle est officialisée, reconnue par la CEE, contrôlée et certifiée par des organismes compétents. À l'heure actuelle tout le monde peut être questionné à son sujet ; chacun sait de quoi il s'agit.

On peut donc voir que le bon sens des anciennes traditions, celles des paysans qui n'utilisaient pas de produits chimiques (d'autant qu'ils n'existaient pas ou peu), mais seulement des matières naturelles et qui vivaient en harmonie avec leur environnement, ce bon sens, donc, est de retour. Ne dit-on pas : « chassez le naturel, il revient au galop » ?

Et si la terre, l'élevage animal, la culture végétale en tirent des bénéfices qualitatifs certains, le vin, ce noble produit des terroirs, cet « être vivant », selon l'expression de quelques experts, ce subtil résultat d'une transformation organovégétale explose littéralement tel un feu d'artifice aux mille saveurs.

Qu'est-ce que l'agriculture biologique ?

C'est une agriculture respectueuse de l'environnement, des cycles et des ressources de la nature. En pratique : l'agriculteur n'utilise ni désherbants, ni certains fongicides durs. Seuls le soufre et le cuivre sont autorisés.

Certains agriculteurs emploient des huiles essentielles bio. L'appellation **AB** est alors possible.
Cependant, le vigneron doit appliquer un cahier des charges établi par un label officiel (Nature et Progrès) ou un organisme de certification agréé (ECOCERT).

Historique

1992 : reconnaissance officielle de la Bio par la CEE. Les organismes gestionnaires de marques, jusqu'alors habilités à contrôler et à identifier les produits « bio » abandonnent ce rôle à des organismes de contrôle et de certification indépendants agréés par la CEE.

1993 : *Nature & Progrès* se détache donc de la certification pour se consacrer au développement de la Bio en devenant une marque collective, jugeant qu'il est plus important pour elle de se consacrer au déploiement de l'Agriculture Biologique, de ses surfaces et de ses productions. Elle édite les « Bonnes Adresses de la Bio ». Nature & Progrès compte 1500 adhérents professionnels et 2000 consommateurs.

Le label Ecocert

Il est soutenu par une entreprise privée (site www.ecocert.fr). Issu de l'A.C.A.B. (Association des Conseillers en Agriculture Biologique, 1978), ECOCERT est né en 1991 lors de la séparation des parties contrôle et conseil.

L'A.C.A.B. développe la partie conseil, en gardant une forme associative, tandis que ECOCERT prend en charge le contrôle, la certification et choisit de devenir une entreprise privée (SARL).
Dès 1992, ECOCERT obtient l'agrément du Ministère de l'Agriculture, de la Pêche et de l'Alimentation et celui du Ministère de l'Économie et des Finances.

En 1996, ECOCERT est accrédité par le Comité Français d'Accréditation (COFRAC) au titre de la norme EN 45011 (ou ISO65).

La vigne en mode de production biologique

Voici un tableau indicatif de la répartition des surfaces en mode de viticulture biologique année 2004-2005 concernant le territoire français.

Régions	nombre exploitations	Bio (ha)	Conversions (ha)	Total (ha)
Alsace	83	504	293	797
Aquitaine	218	2 352	405	2 757
Auvergne	11	11	11	22
Bourgogne	73	464	141	605
Centre	61	525	199	725
Champagne-Ardennes	23	76	43	119
Corse	13	207	12	219
Franche-Comté	18	114	26	139
Languedoc-Roussillon	350	4 531	894	5 425
Lorraine	3	4	0	5
Midi-Pyrénées	94	316	70	385
Pays de la Loire	83	789	180	968
Picardie	2	6	3	10
Poitou-Charentes	87	645	155	800
PACA	269	3 269	619	3 888
Rhône-Alpes	144	937	330	1 267
France	**1 534**	**14 751**	**3 382**	**18 134**

L'agriculture biodynamique

(Lire témoignage de Jacques Meihl, chapitre « Éclairages pros »).

C'est la branche la plus pure du secteur biologique. Les bases de cette agriculture harmonieuse furent posées par Rudolf Steiner, philosophe, médecin et agronome autrichien de la fin du XIXᵉ siècle, concepteur et fondateur, dans les années 1920, de l'anthroposophie : « sagesse de l'Homme ». Fondée sur l'observation du fonctionnement, des principes, lois et cycles de la Nature, elle est dite « spirituelle ». L'agriculture biodynamique est véritablement l'initiatrice de l'agriculture biologique moderne.

La nature par la nature

D'après Rudolf Steiner, le vignoble, comme toute culture, est une entité vivante constituée des quatre éléments terre, eau, air et feu (Soleil), dont il faut préserver l'équilibre. Il s'agit de capter et canaliser les énergies naturelles propices afin d'en faire bénéficier tant la partie souterraine de la plante (racines), que la partie aérienne (fleurs, feuilles, fruits). La vigne doit être apte à se défendre seule contre les parasites, on va donc privilégier les défenses internes de la plante et non les traitements externes.

En biodynamie, les racines sont « le cerveau de l'être », les feuilles et les fruits sont « les muscles ». Dans cette viticulture il ne faut pas doper les « muscles » (feuilles, fruits, plantes) mais fertiliser le « cerveau » (sol) qui est la source nutritive et immunitaire. Les produits chimiques sont totalement exclus, sauf la bouillie bordelaise (contre le mildiou), et le soufre.

La biodynamie agit sur les processus organiques du végétal par aspersion de préparations à base de plantes, de cristaux de roche ou de matières animales, soit sur le sol soit sur la plante elle-même. Ces préparations agissent comme catalyseurs sur la formation des bourgeons, fleurs et fruits.

Les préparations biodynamiques à base de corne et de bouse de vache enrichissent la terre en créant de l'humus qui fertilise et apporte les éléments nécessaires à son autodéfense. D'autres préparations sont élaborées à base de pissenlits, fleurs et orties afin de prévenir les maladies.

D'autre part, le vignoble faisant partie de l'univers entier, les biodynamistes vont utiliser un calendrier strict pour chaque action dans le processus de viticulture. Ce planning tiendra compte des interactions du Soleil, de la Lune et des planètes pour faire vivre la terre en respectant ses cycles et son environnement. En biodynamie, on évite par exemple de travailler lorsque deux planètes sont alignées face à la terre.

Cette méthode, très liée à la nature, se fonde sur une appréciation des phénomènes naturels et se traduit par des actes d'exploitation, des pratiques de travail du sol et des techniques de culture qui sont autant de comportements respectueux d'une harmonie holistique de la Nature.

Les vignerons enterrent des cornes de vache bio remplies de bouse. Au bout de six mois, la bouse devient humus et les cornes roses. Ils déterrent alors les cornes et vident l'humus. Il faut biodynamiser l'eau et l'humus : grâce à un biodynamiseur (ou à un bâton et un récipient), le vigneron tourne pendant dix secondes dans un sens, puis dans un autre. Le passage d'un sens à l'autre crée un vortex. Cette préparation biodynamique sera déversée grâce à des pulvérisateurs à main. Elle sera le starter de la vie du sol afin que la vigne puisse se protéger elle-même des intempéries et des maladies.

Biodynamie et certification

L'association DEMETER France certifie les produits issus de l'agriculture biodynamique.
Pour ce qui concerne les vins, elle impose le plus exigeant des cahiers des charges : pas de chaptalisation ni de levurage. Mais attention, j'ai déjà dégusté de mauvais vins en biodynamie.

La vinification
et les vins

DU FRUIT À LA MÉTHODE

Le raisin

Que contient le raisin ?

Eau : Environ 70 % du jus est composé d'eau.

Sucres : Glucose et fructose s'accumulent dans la pulpe à la véraison.

Acides : Acide malique et acide tartrique.

Polyphénols : Les anthocyanes sont contenus dans la pellicule de la baie, ces pigments donnent leur couleur aux vins rouges avec une accentuation dans les vins jeunes.

Tanins : Ce sont des molécules contenues dans la pellicule mais aussi dans le pépin et dans la rafle, ils donnent leur charpente aux vins et peuvent leur conférer une certaine astringence (impression d'assèchement ou âpreté en bouche) qui disparaît avec le vieillissement. Ils peuvent être soyeux, ronds, fins, ou au contraire verts, herbacés... Ils n'existent que dans les vins rouges. La macération (qui permet le contact entre le vin et les peaux de raisin) peut être de quelques jours à trente jours selon la région et l'intention du vigneron.

Levures : Elles sont dans la peau du raisin, c'est pourquoi on les nomme « indigènes ». Elles transforment le sucre en alcool et donnent leur « personnalité » aux vins...

La plupart des vignobles en France utilisent à outrance le désherbage chimique et les fongicides. Ils dégradent la vie microbienne et sont donc obligés de relevurer pour permettre au moût de fermenter.

D'après Jean-Marc Carité (« Les bonnes adresses du vin bio »), et le guide du vin bio chez Solar, nous sommes à peu près sûrs - ce sont les deux seuls livres qui le disent – que 1,25% environ de vignerons français travaillent à la fois sainement la terre, sont en bio certifié et utilisent les levures indigènes.

La maturité du raisin

Dans le vin rouge, lorsque la pulpe n'est pas juteuse, le vin sera déséquilibré par les tanins. La maturité phénolique est le juste équilibre entre la peau du raisin, la pulpe et les pépins.

Le taux d'alcool n'est pas formellement révélateur. Un vin de la région du Languedoc affichant 13% vol. ne certifie en rien que les raisins soient assurément mûrs. On pourra constater éventuellement un déséquilibre tannique avec une note âpre de pépins.

Arômes et maturité

Les arômes sont spécifiques aux différents cépages, aux différents terroirs et aux levures sélectionnées de laboratoire ajoutées pendant la vinification. Ils sont obtenus grâce à la fermentation alcoolique et à la maturité du raisin... Plus le raisin est mûr, plus il développera de sensations et d'arômes.

Lorsque le raisin a le goût de pépins, le vin aura le goût de pépins en retour de bouche. Lorsque, à la vendange, le raisin est « confituré », avec une maturité phénolique harmonieuse sans goût de pépins ni de tanins, le vin sera bien équilibré. Pendant la maturation du raisin, l'eau, les sucres et les polyphénols s'accumulent dans les baies tandis que l'acidité diminue.

Causes de la mauvaise maturité du raisin

Souvent, les viticulteurs dénoncent les mauvaises conditions climatiques. Mais, c'est souvent l'excès de produits chimiques qui déséquilibre la faune et la flore.

Pour augmenter le degré alcoolique, ils ajoutent du sucre pendant la fermentation (chaptalisation). Un raisin récolté peu mûr ne développera pas de sensations olfactives. Par exemple un Gamay récolté très mûr et non chaptalisé aura un nez de poivre, un Gamay récolté vert aura un nez de fruits rouges, surtout avec un ajout de levures.

La vinification

Les différentes étapes de la vinification

Le tri

Tout commence par une « sélection des raisins après la vendange » (« 2000 mots pour le vin » de Michel Dovaz - éditions Hachette). Cette opération est tout bonnement appelée le tri.

L'éraflage

Enlever la rafle (la tige de bois qui tient la baie) consiste en l'*éraflage* ; cette étape est facultative pour le vin rouge.

Lorsque le raisin n'est pas éraflé, le vigneron goûte la rafle pour évaluer la maturité du raisin. Si la rafle est mûre, le raisin peut être récolté. Pour les blancs, les raisins sont pressurés directement ; seul le jus de raisin fermente.

Le foulage

On écrase ensuite la baie pour obtenir le moût (jus de raisin non fermenté) ; c'est le *foulage*.

La fermentation alcoolique

La transformation du sucre en alcool grâce aux levures indigènes ou sélectionnées de laboratoire commence à ce stade.

La macération

Juste après le foulage, et pour les vins rouges uniquement, on laisse reposer l'élément liquide (le jus de raisin) et l'élément solide (les peaux et pépins du raisin) afin d'obtenir une couleur. Le temps peut être de quelques heures pour les rosés, à quelques jours et jusqu'à plusieurs semaines pour les vins rouges. C'est le processus de *macération*.

Le pigeage

C'est l'opération qui consiste à *enfoncer le chapeau du moût pour le noyer dans la cuve et renforcer le processus d'extraction* (« 2000 mots pour le vin » de Michel Dovaz - éditions Hachette).

Le pressurage

Pour obtenir un jus issu soit du raisin seul pour les vins blancs, soit avec le mélange de la macération pour les vins rouges, le pressurage est l'opération consistant écraser le raisin à travers un pressoir.

La fermentation malolactique

C'est la deuxième fermentation pour tous les rouges (sauf pour les primeurs) et blancs de Bourgogne ainsi que certains vins blancs de Loire.

C'est la transformation des acides maliques en acides lactiques. Le résultat de cette fermentation donne un vin moins dur.

L'élevage

Il s'agit de l'ensemble des opérations menées juste après la fermentation alcoolique et, le cas échéant, malolactique jusqu'à la mise en bouteille. Afin d'évoluer, le vin se « repose » dans les fûts ou les cuves... C'est une étape essentielle dans l'élaboration du produit final. L'intérêt de l'élevage est essentiellement de purifier le vin de ses impuretés par les opérations de soutirage, de le faire vieillir, de permettre aux arômes d'évoluer...

Le tri | La macération | Le pigeage | L'élevage

Différentes pratiques de vinification

La chaptalisation

Comme nous l'avons déjà vu, cette opération consiste en l'ajout de sucre au moût de raisin afin de suractiver la fermentation, ce qui a pour effet d'augmenter le degré alcoolique lors de la vinification. Cela n'a aucune influence sur le développement des qualités gustatives du vin, ni sur sa complexité ou son déploiement aromatique ; c'est seulement un palliatif du manque de maturation du raisin.

Levures indigènes et vinification

La vie microbienne existant à l'échelle de la peau du raisin constitue un panaché d'organismes microscopiques capables d'ingérer et de digérer la matière vivante, la modifiant par le fait. Ces organismes sont à l'origine de la transformation du sucre en alcool.

Une des conséquences directes de l'action de ces levures, pour ce qui concerne un vin issu de l'agriculture biologique (vinifié en levures indigènes), est qu'il développera, en termes de goût, une très grande complexité aromatique ; la rétro-olfaction (retour de bouche après avoir absorbé le vin) est très longue et complexe.

Les levures sélectionnées

Elles sont dites exogènes car sélectionnées et cultivées dans les laboratoires. Cette sélection est véritablement une discrimination bactérienne. Les levures sont choisies pour leur pureté chimique et leurs capacités d'activation. Triées sur le volet, elles sont standardisées et homologuées. Leur rayon d'action est, en quelque sorte, calculé pour le meilleur rendement. Malheureusement, comme chaque fois que le vivant est manipulé par l'Homme, la spontanéité, l'authenticité, la pluralité ou ce qui fait la « magie » du vivant, s'en trouvent affectées... Je n'ai ainsi jamais dégusté de vins, élaborés avec des levures de laboratoire, qui développent une réelle complexité en retour de bouche.

Le soufre ou anhydride sulfureux

C'est un antiseptique du vin empêchant qu'il ne tourne au vinaigre. Il est ajouté sur le raisin, pendant la fermentation ou avant la mise en bouteille.

Le duo « soufre et chaptalisation » donne la migraine du lendemain. Peu de vignerons, hélas, produisent de bons vins sans ajout de soufre. Ce dernier est un garant de la garantie si je puis dire.

Cependant, s'il est possible de vinifier sans ajouter de soufre, le vin ne contenant nul soufre n'existe pas. En effet, naturellement, et pour leur protection, les raisins sains élaborent eux-mêmes le soufre.

Des copeaux dans le vin

Pour les dégustateurs de l'école « buccale », le bois apporte quelque chose au vin (des tanins ?). Afin de concurrencer les vins du Nouveau Monde, les grandes instances viticoles ont accepté l'ajout de copeaux de bois dans les vins. Pour ce qui concerne les AOC, je le dis haut et fort : c'est n'importe quoi !

Ajouter des tanins

À cause de la tendance américaine ou autrement dit du goût « parkerisé », certains pratiqueraient l'ajout de tanins. On constate ici le désir de séduire une clientèle adepte du goût franc et prononcé, typique de la dégustation de bouche.

Acidifier

Lorsque l'année est chaude, comme 2003, alors que le raisin a trop mûri ou que les vendanges se font un peu trop tard, l'acidification peut être requise. On ajoute alors au moût de raisin de l'acide tartrique si l'on prévoit un manque d'acidité. Ce geste est légal mais en revanche il est interdit d'acidifier et de chaptaliser à la fois un même moût ou une même vendange.

LE VIN

Les vins naturels

Si l'on en croit les vignerons, ils sont tous bio. Néanmoins, seule la certification prouve que le vignoble est bio. Unique talon d'Achille du vin bio : la certification ne s'applique qu'à la viticulture... Le vigneron peut alors utiliser des artifices tels que chaptalisation ou levures exogènes. Mais par expérience, il n'y aurait que 10% de vignerons bio qui ne vinifieraient pas correctement.

L'adjectif « naturel » est galvaudé, car même des vignerons travaillant des vignes « chimiques » peuvent se proclamer « vin naturel ».

Si vous recherchez des vins naturels dans cette jungle, je vous conseille de consulter le site internet www.lesvinsnaturels.org, leur annuaire est très acceptable, mais également mon site www.vinpur.com. Vous y trouverez des vignerons travaillant les sols sainement (ils sont souvent bio certifiés) et vinifiant sans artifices (sans levurage, sans chaptalisation, peu ou pas de soufre, sans ajout d'autres produits, tanins ou acides).
Un vin naturel est, à mon sens, un vin issu de l'agriculture biologique et vinifié en levures indigènes autant que possible. Il faut qu'il soit digeste et que sa rétro-olfaction soit longue et complexe.

Les vins biologiques et biodynamiques

Le cahier des charges de la viticulture biologique ne concerne que la pratique agricole. Pour ce qui est de la vinification, seul « Demeter » (organisme privé de certification pour la biodynamie) interdit la chaptalisation et l'utilisation de levures exogènes.

Des chartes de vinification sont mises en place par les divers certificateurs (ex :Nature & Progrès).

 Pourquoi certains vignerons en agriculture bio utilisent-ils les levures sélectionnées pour leur vinification ?

Pour être certain du résultat, il est moins risqué de produire du vin avec les levures sélectionnées. C'est un peu comme pour la panification au levain pur (fermentation lactique) qui réclame beaucoup plus de précision et de savoir-faire que la panification sur levure de bière (fermentation alcoolique) donnant du pain standard et calibré.

Prelitte, qu'est-ce que c'est ?

C'est une base qui permet d'expérimenter un certain style de dégustation impliquant les perceptions gustatives, olfactives et mnémoniques tout en les développant. Elle permet une expérience psychosensorielle du vin.

C'est aussi une mention indiquant quelques critères ciblés de vinification. Elle est apposée sur quelques bouteilles pouvant prétendre au style de dégustation dit « spirituel ». Tous les vins que j'aime sont :

Petits rendements : car lorsque le vigneron travaille le sol, il fatigue la plante qui produit moins.
Levures indigènes : pour donner de la personnalité au vin, il faut vinifier en levures indigènes.
Travail des sols : pour élaborer des vins propres en levures indigènes, il faut travailler les sols. Sinon, vous pouvez avoir des accidents, des maladies pendant le début de la fermentation

Les vins élaborés selon ces règles sont « spirituels » et donnent un retour de bouche très long après la déglutition.

L'art de reconnaître un vin naturel

Retour sur les caractéristiques du vin pour dénicher les indices qui aideront à reconnaître un vin naturel, autrement dit vivant et spirituel de style Prelitte.

La couleur

Compte tenu de l'absence de filtration, la couleur du vin peut être trouble. Elle peut évoluer pendant la dégustation si le vin est sans ajout de soufre : le rouge peut devenir orangé sur les bords du vin et le blanc devenir orangé ou marron.

Le nez

Lors de l'ouverture de la bouteille, le vin a une réaction d'autoprotection et il dégage un arôme **sauvage** caractéristique qui correspond aux vins très peu soufrés.

Le premier nez (verre non remué) peut déranger, cependant le deuxième nez (verre remué) laisse apparaître toute la pureté du vin : fruits discrets, menthol. Si vous avez envie de manger du fruit, il est **pur**.

L'attaque de bouche

Une attaque **onctueuse** signifie que le vin est non chaptalisé (degré naturel d'alcool).

Le milieu de bouche

En milieu de bouche, le **gaz** présent peut être ressenti ; c'est un protecteur du vin. Ce dernier doit alors être carafé afin de l'aérer (dégazage). Si après cette opération le vin change de couleur, c'est qu'il est sans ajout de soufre.

La finale de bouche

Sans goût de pépin, nous sommes en présence d'un vin élaboré avec des raisins très murs ; on n'a donc pas eu recours à la chaptalisation. Cela donne une finale très **minérale**, autorisant à penser qu'il s'agit d'un vin sans levures ajoutées.

La rétro-olfaction

Les arômes du vin restent très complexes après la dégustation : **minéralité**, **épices** et **menthol** pour le blanc ; même chose pour les rouges.

Lorsque l'on avale ou recrache le vin, cette sensation part du palais et va jusque derrière le cerveau. À ne pas confondre avec des artifices qui remontent du nez jusqu'au front, signes de mauvais vins !

Le nez du verre vidé

Il doit être propre, pur de fruit ou de minéralité.

Le soufre dans le vin

Lorsque l'on évoque le vin naturel, on aurait souvent tendance à penser qu'il s'agit de vin absolument sans soufre... Cependant, le soufre se trouve d'une part à l'état naturel dans le raisin et d'autre part en ajout volontaire dans le vin.

« Le SO_2 ou anhydride sulfureux ou dioxyde de soufre est un conservateur alimentaire connu de longue date et déjà utilisé au XIXe siècle » (Vin Bio magazine n°17 avril mai juin 2006).

Le soufre a toujours accompagné le vin, nous allons voir pourquoi et comment.

De l'utilité du soufre

Deux dispositions du soufre

Le dioxyde de soufre se trouve, en partie, **combiné** avec d'autres constituants tels les sucres, l'éthanol et plusieurs autres substances contenues dans le vin. C'est la partie restante, appelée dioxyde de **soufre libre** qui a une action protectrice antioxydante sur le vin.

On appelle dioxyde de soufre total la somme du dioxyde de soufre libre et du dioxyde de soufre combiné.

Pourquoi ajouter du soufre ?

Le dioxyde de soufre (SO_2) est principalement utilisé en vinification pour ses propriétés réductrices et antiseptiques. Toutefois, il peut être à l'origine d'odeurs et de goûts désagréables, il faudra donc veiller à l'ajouter au moût avec modération.

Le SO_2 exerce une action inhibitrice en fonction de la quantité mise en oeuvre. Par son caractère antioxydant et antiseptique (spécialement le SO_2 libre), il contrôle l'oxydation de l'éthanol et s'oppose efficacement au développement de la plupart des microorganismes du vin. Son action antioxydante empêche certaines substances, appelées oxydases, d'agir. Ces dernières sont susceptibles de précipiter les matières colorantes des vins rouges ou de provoquer le brunissement des vins blancs, ce qui entraîne dans les deux cas une perte de la qualité du vin.

Le SO_2 favorise la dissolution des matières colorantes et des tanins en détruisant les cellules de la pellicule des fruits. Il améliore donc la macération en renforçant la couleur, la teneur en tanins et en arômes. En outre, le pouvoir acidifiant du SO_2 se traduit par une augmentation de l'acidité totale et un pH bas.

Si la présence de dioxyde de soufre dans les vins présente certains avantages, elle comporte aussi des risques pour les qualités organoleptiques des vins et pour la santé des consommateurs, il faut donc en limiter l'utilisation.

Le SO_2 est utilisé à la fois :
- sur les vignes contre l'oïdium (maladie de la vigne) ;
- dans le vin contre l'oxydation ;
- dans les fûts vides contre l'oxydation.

L'anhydride sulfureux est indispensable à la conservation du vin. À l'heure actuelle il n'existe que quelques vignerons qui savent élaborer des vins sans ajout de soufre.

Différentes raisons président à l'emploi du soufre ajouté en viticulture et pendant la vinification :

- Le vin blanc ne possède pas les antioxydants que sont les tanins ; c'est donc un vin plus fragile.
- Les produits chimiques répandus dans les vignes déstabilisent la matière première qui se retrouve sans défense.
- Les AOC de la région d'Alsace et du Muscadet doivent obligatoirement ne pas avoir subi la fermentation malolactique. Face à leur appréhension, les vignerons « matraquent » le vin avec du soufre pour bloquer cette deuxième fermentation synonyme de danger pour leur Agrément, mais sulfurisent également pour éviter l'oxydation.
- Pour les Côtes-du-Rhône, l'excès de prévention contre l'oïdium avec un surplus d'épandage de ce produit sur les vignes peut se retranscrire dans le vin.

Une mauvaise réputation

Soufre, ajout de produits chimiques à outrance dans les vignes et chaptalisation : ces mélanges donnent des maux de tête... aussi bien avec les blancs, les rouges ou les rosés qu'avec le champagne.

Le soufre est la première cause des lendemains difficiles. Des générations entières ont banni les vins blancs

Prémices d'une renaissance

Depuis plusieurs années, des vignerons intelligents se sont remis en question et retravaillent le terroir, donnant la possibilité au raisin de s'autoprotéger. Le labour du sol et l'abandon des produits chimiques diminuent les rendements et donnent au raisin une concentration se traduisant par des qualités organoleptiques accrues.

En effet, des vignerons comme Michel Augé ou Alain Guillot, après analyse de leur vin élaboré sans ajout de soufre, ont noté la présence d'anhydride sulfureux. Les cépages comme le Gamay ou le Chardonnay produiraient leur propre soufre.

Quand la dégustation en « soufre »

Le soufre, selon Michel Augé, ne donne pas le côté rectiligne, pur et étincelant au vin.

Selon une bonne combinaison, Il peut, à mon avis, s'allier avec le vin. Une vinification sans ajout de soufre est gage de pureté et de droiture du vin, mais si le vigneron commet une erreur, le vin peut s'oxyder. Le meilleur moment pour l'ajouter se situe juste avant la mise en bouteille.

Soufre à gogo

Le surplus de soufre ressenti en dégustation provient :
- d'un fort ajout de soufre dans les vignes ;
- d'un ajout de soufre combiné au taux naturel existant, notamment dans le cas d'un terroir travaillé en biodynamie – cette méthode donnant la force et la possibilité aux raisins de s'autoprotéger ;
- de l'épandage du SO_2 dans les vignes avec ajout dans le vin.

Le mauvais côté du soufre

Lors de la dégustation, on peut le reconnaître :
- Au nez : dans les vins blancs et rosés, un nez de pneus brûlés, une odeur d'allumettes brûlées peuvent se dégager quand le verre est vidé.
- En fin de bouche : avec une sensation métallique et de dureté. Le vin est bloqué, surtout en ce qui concerne les vins provenant de l'Alsace et du Muscadet pour lesquels la fermentation malolactique ne doit pas avoir lieu. Vous devez les carafer afin de les « ouvrir », mais au bout de six jours après ouverture des bouteilles, les vins peuvent se libérer.
- En retour de bouche : le soufre revient dans les narines (arômes d'allumettes brûlées).

 Imparable

Dans les vins rouges, le SO2 est moins décelable, mais pour les dégustateurs pointilleux, le nez du verre vide est imparable surtout lorsqu'il s'agit de millésimes à problèmes tel un 2003. Un nez de verre vide de fruits, propre, est la preuve que le vin est pur (issu de l'agriculture bio et vinifié en levures indigènes avec peu de soufre).
Le surplus de soufre provoque une bouche dure, voire métallique et indigeste.

Le soufre qui ne « dérange pas »

Trois cas sont possibles :
- Fabriqué par les levures indigènes : le nez est réduit, il est sauvage, avec une odeur de ferme et d'écurie (à ne pas confondre avec les levures Bret). Cette odeur particulière s'évapore à l'aération et ne nuit pas.

- Le soufre libre dû au méchage des fûts : il disparaît lorsque le vin est remué dans le verre (par exemple un Gaillac blanc sec ou moelleux du domaine de la Ramaye).
- Le soufre libre dû à un moment particulier (climat, changement de saison, juste après la mise en bouteille) : le vin n'est pas « en forme ». Une journée après l'ouverture, le vin se « remet » (par exemple un vin de campagne rosé 2005 dégusté en avril ou Riesling 2004 Bolber de Zusslin dégusté en mars).

Dans les vins pétillants, surtout les vins vivants (terre labourée et vinification en levures indigènes), les vins bougent ; l'effervescence peut donner de temps en temps, selon le moment ou la saison, un excès qui n'est cependant pas néfaste.

Vins sans ajout de soufre et dégustateurs professionnels : la confrontation

Lorsque les vins sont issus de terres labourées et vinifiés en levures indigènes (avec peu ou sans ajout de soufre), ils ont leur personnalité, peuvent être singuliers et étonnants, exerçant une espèce de « magie », et sont de toute évidence à contre-courant du monde vinicole standard. En effet, ils ne représentent que 3 % du vignoble en France.

L'acidité volatile et le nez sauvage (la conséquence d'une vinification en levures indigènes) dérangent les dégustateurs professionnels éduqués par la standardisation franche. Ces deux arômes sont bannis par l'œnologie moderne. Pourtant, ces arômes sont comme les rides ou les cheveux blancs qui à l'aube des quarante ans donnent un certain charme. Il faut les accepter simplement, en s'éduquant suivant une conception de l'authenticité du goût afin de savoir les déguster et les apprécier.

Des vignerons tels Francis Poirel ou Alain Dejean, vinifiant leur vin moelleux avec le minimum de SO_2, élaborent des vins liquoreux aux nez de fruits à la fois mûrs et secs de xérès, de noix, avec parfois un soupçon d'acidité volatile.

Des journalistes renommés descendent en flèche des vins de ce calibre.

En temps normal, le développement d'arômes spécifiques dans les vins moelleux est bridé ; il faut savoir que la majeure partie des vins liquoreux affiche des taux de soufre pouvant atteindre 400 mg/litre, car les vignerons, afin de pallier un éventuel nouveau départ de fermentation en bouteille – à cause du sucre et des levures présents – ajoutent davantage de soufre.

En définitive, si vous n'êtes pas éduqué à reconnaître le soufre, vous pouvez casser (altérer irréversiblement) les vins sans ajout ou avec peu de soufre. La complexité de ces vins peut être déroutante et il n'est pas étonnant que certains les désapprouvent car ils créent véritablement un dilemme du goût en plaçant le dégustateur face à un choix, certes personnel, entre le non conforme et le standard, à l'instar du fromage au lait crû ou au lait pasteurisé. Tout le problème est donc lié à une éducation sensorielle et conceptuelle...

 ## À retenir

Le vin sans soufre n'existe pas, l'appellation correcte est : « vin sans ajout de soufre ». Afin de mettre le moins possible de soufre ou d'éviter d'en ajouter, une solution : l'agriculture saine (biologique ou biodynamique).

La crise en France,

causes et solutions

« L'union fait la force »

Dicton populaire

« La sagesse est le fruit de l'expérience,
l'expérience est le fruit des bêtises »

Confucius

Voici la partie la plus personnelle de ce livre, écrite afin de réunir autant que possible les vignerons de tous bords, qu'ils soient « bio » ou conventionnels, jeunes, vieux, débutants ou confirmés.

Si l'on se borne à défendre uniquement ce que l'on estime et croit bon, je pense que notre patrimoine est appelé à disparaître et que d'ici une trentaine d'années le vin français pourrait bien être noyé dans l'océan uniforme d'une standardisation mondiale. Boire du bon vin sera alors un souvenir dont il ne restera pour tout vestige que les bouteilles de quelques collectionneurs.

Résoudre cette crise est l'affaire de tous !

Certains vignerons « bio » seront surpris de lire ce qui va suivre mais la vie m'a donné la faculté de réfléchir et de ne pas rester obtus. Je sais que la bio est notre patrimoine, toutefois il faut être rationnel et capable, lorsque la nécessité s'impose, de sacrifier la chèvre pour ménager le chou (ou l'inverse), faire face à l'adversité en prenant des décisions qui peuvent, en premier lieu, paraître négatives mais s'avérer au final un mal pour un bien.

Le vin est ma passion ! mais la restauration m'a sorti de mes ennuis en assurant ma subsistance ; entre une ferveur passionnelle nourrie d'idéal et l'impératif de la sustentation et du toit (notion nettement plus terre à terre), il a fallu trancher. Je suis donc réaliste et je pense que nous devons garder les pieds au sol tout en adoptant une certaine philosophie.

Au fil du texte, certains se reconnaîtront. Il ne faut pas que leur orgueil l'emporte ; se remettre en question est toujours constructif. J'entends déjà certains réagir : « mais qui est-il pour dire cela ? »...

Loin d'être parfait, je ne suis qu'un homme avec son lot d'erreurs et d'égarements, mais grâce à des amis j'ai pu vivre décemment à un moment où j'aurais pu demeurer sous les ponts. Il faut parfois ne pas se contenter de rester dans sa bulle mais s'ouvrir à la réflexion et au monde extérieur, notamment en observant les autres, tirer parti des expériences de chacun, ne pas hésiter à prendre exemple sur les réussites d'autres vignerons en gardant son savoir-faire et sa passion.

Que l'on soit de l'école bio, de l'école industrielle, de l'école des levures indigènes, exogènes ou parkerisé, vivons en bonne intelligence, soyons en harmonie et à l'écoute les uns des autres, ce n'est pas un sermon apostolique, ni prêche de prosélyte, mais une question de bon sens. C'est la seule solution pour sortir de cette difficulté et faire en sorte que nos enfants et petits-enfants puissent déguster des vins de terroir dans cinquante ans ; nous sommes tous dans la même galère que représente cette crise de la viticulture en France.

LES RAISINS DE LA COLÈRE

À la recherche de l'authentique

Le fait que nous n'ayons donné ni bases de dégustations, ni bases des vins de terroir est un véritable problème.

- Comment doit-on reconnaître un vin de terroir ?
- Quelle est la marque de terroir dans un vin français.
- Grâce à quelles pratiques la marque du terroir s'exprime-t-elle dans un vin ?
- Comment doit-on déguster un vin ?
- Quelle est la différence entre ces deux types de dégustations : « buccale » et « spirituelle » ?

Terroirs et dégustations

Les produits chimiques durs ont envahi les sols, ce qui a tué la vie microbienne. À cause de l'ajout des levures sélectionnées les AOC sont devenus moins complexes, moins authentiques, donc plus vulnérables face à la concurrence.

La rétro-olfaction minérale longue et complexe est la retranscription de la roche mère du terroir, grâce à la symbiose de la vinification des levures indigènes et d'un travail du sol sain sans désherbants chimiques. Cette sensation longue, correspondant à la dégustation dite « spirituelle », persiste pendant quelques minutes après la dégustation. Je ne l'ai jamais connue, ni dans un vin élaboré avec des levures sélectionnées de laboratoire, ni dans un vin de nos concurrents Américains, Océaniens ou Africains. Leurs vins développent davantage les caractéristiques gustatives d'une dégustation nommée « buccale ».

Les vins complexes sont uniques et ne peuvent être produits qu'en France, Allemagne/Autriche, Italie, Espagne/Portugal, grâce à notre géologie complexe. Toutefois, l'agriculture conventionnelle (utilisation à outrance des produits chimiques) a détruit l'authenticité de notre terroir.

La complexité de nos étiquettes

Dans un restaurant, un Américain comme un Australien demanderont le nom du cépage et non celui de la ville ou de la région ; il se perdent dans nos AOC, VDQS et vins de pays.

L'agroalimentaire et les consommateurs

Les industries agroalimentaires ont depuis longtemps négligé l'amertume au profit de la saveur sucrée. Elle est pourtant indispensable dans l'équilibre des saveurs et se retrouve notamment dans le vin de terroir (issu de l'agriculture saine, sans désherbants et vinifié avec des levures indigènes) dont elle est une caractéristique, véritable expression de la roche mère dévoilant en rétro-olfaction ce goût plus ou moins amer qui entre dans les critères de base de la dégustation.

Dans l'alimentation actuelle, particulièrement les boissons et les sodas, le sucre est roi. Vos papilles ont une mémoire, si vous n'avez pas l'habitude de cette amertume, vous ne pouvez apprécier le vin à juste titre.

Les enfants en otage

Est-ce totalement la faute des consommateurs s'ils ont suivi le mouvement d'une industrialisation alimentaire dont la progression quantitative fut au détriment de la qualité, cette dernière étant réduite à des standards dont le sucre et le sel raffinés, pour ne parler que d'eux, se taillent la part du lion ?

Nous savons bien que l'offre répond à la demande, mais l'offre incite également à la demande, comme nous pouvons le constater à travers le matraquage publicitaire. L'industrie alimentaire propose, à la fin elle impose.

Dans les années 60, le vin faisait partie du quotidien, les enfants mangeaient « nature » chez la grand-mère. Pas de produits congelés, peu de conserves... Les parents et les grands-parents prodiguaient une réelle éducation du goût. Lors des anniversaires ou des fêtes comme Noël, les enfants pouvaient boire du vin mélangé à l'eau ou trempaient leurs lèvres dans le champagne.
Bref, tout à changé. En quarante ans, le vin a été remplacé par le soda, les jeunes de douze ans sont éduqués par les fast-food et l'industrie agroalimentaire. Croyez-vous que dans quarante ans ils achèteront un Bordeaux à quarante euros, voire un Champagne ? Je n'y crois pas.

Tant que les enfants auront une certaine aptitude à reconnaître les arômes de synthèse contre une moindre capacité à identifier les arômes naturels, nous serons dans une problématique du goût et de la connaissance. Il faut rééduquer leur palais. Lorsqu'ils sont encore petits, il vaudrait mieux élaborer soi-même les purées de légumes ou acheter des purées bio sans arômes de synthèse. Par la suite, à la maternelle, une restauration scolaire de qualité biologique favoriserait chez l'enfant le développement d'un palais équilibré, base indispensable pour l'expérience du goût et la découverte des saveurs et parfums qu'ils pourront apprécier tout au long de leur vie à travers un jugement affiné.

Consommateurs et préjugés

Nombre de consommateurs n'ont pas su saisir toute la complexité et la subtilité que les vins appellent à connaître. Ainsi en la matière, leurs jugements, selon un principe antérieur à l'expérience, ont souvent été préjudiciables aux vins en général :

- « *Le vin de toute façon n'a pas besoin de la bio, car c'est naturel* ». Combien de fois ai-je entendu cette affirmation débile.
- « *Tous les vins blancs font mal à la tête* ». Actuellement, sur dix bouteilles vendues, sept sont des rouges, deux des rosés et une du vin blanc. Des vignerons spécialistes du blanc font des vins qui ne donnent pas mal à la tête. Généralement, ils sont en bio....
- « *Le Muscadet ou le Beaujolais ce n'est pas bon* ». Ils sont rares mais il existe de très grands Muscadets et de très grands Beaujolais issus de raisins bio et vinifiés en levures indigènes qui, consommés à l'aveugle, surprennent les consommateurs.
- « *Le vin rouge ne fait pas mal à la tête.* ». Certains vins rouges au nez chimique me donnent la migraine ; je ne peux pas les boire.
- « *Un grand cru c'est toujours bon, et un vin de table est moins bon qu'un AOC.* ». Faux, lorsque votre grand cru ou votre AOC est issu de vignes désherbées, il perd de son tempérament. Certains AOC rétrogradés en vin de table sont grandissimes. Généralement ils sont issus de l'agriculture biologique.
- « *Le vin rouge frais passe partout...* ». Le Saumur, le Sancerre, le Brouilly sont souvent servis à dix degrés dans le restaurant. Et c'est dommage. Le froid camoufle les arômes. Un vin de Loire ou de Beaujolais doit être servi à 15°.
- « *Les vins sans ajout de soufre – sans antioxydant – n'existent pas.* ». Olivier Cousin ne dit jamais que ses vins sont sans ajout de soufre. C'est au bout de la troisième commande qu'il avoue sa vinification.
- « *Les vins bio ne sont pas bons* ». Lorsqu'un vin est issu d'un domaine en conventionnel et qu'il n'est pas bon, c'est le domaine qui n'est pas bon. Lorsqu'il est issu de la bio, ce sont les vins bio qui ne sont pas bons. Personne ne sait que la Romanée-Conti est issu de l'agriculture biodynamique.

L'influence des professionnels
Robert Parker, grand Gourou du buccal

J'ai entendu une pléthore de louanges et de critiques sur Robert Parker. Certains le proclament comme meilleur dégustateur du monde, d'autres le dénoncent comme celui qui a standardisé le vin français.

Le seul défaut de Robert Parker est, à mon avis, de ne pas déguster le vin à l'aveugle... et s'il est de l'école « buccale », nous ne pouvons l'en blâmer. Nous, dégustateurs professionnels, n'avons pas cerné à temps les deux styles de dégustation, et mesuré le danger de la « dégustation buccale ». Nous avons donc suivi Parker comme un dieu ou un mentor, véritable maître de l'initiation. Même s'il se présente comme l'avocat défenseur des consommateurs de vin, il faut rester vigilant.
Que les dégustateurs professionnels soient pris pour des éclaireurs du goût, c'est un fait, mais pour des références vivantes quasi « divines », c'est dangereusement abusif.

Ce n'est pas Robert Parker qui a standardisé le vin français, c'est notre faute. **Dégustateurs professionnels et pouvoirs publics ont laissé faire, et sur une vingtaine d'années le serpent constricteur de la standardisation s'est lentement enroulé autour de sa proie.**

Il faut absolument que les grandes instances viticoles reconnaissent l'existence des écoles. Les œnologues, journalistes, professionnels du vin et consommateurs doivent être informés et formés. C'est une véritable révolution du vin. Le débat est déjà lancé...

Les œnologues au front

Les œnologues ne sont pas responsables ni coupables de la crise du vin. Ils ont suivi l'impulsion générale. Leur but était d'élaborer le vin. Ils le produisaient avec leur formation du goût – qui était buccale – et avec les moyens œnologiques sans se préoccuper des modes d'agriculture ou de vinification telle la question des levures de laboratoire, sélectionnées et ajoutées au moût. Depuis peu, une petite révolution œnologique est en marche : ils sont de plus en plus nombreux à se préoccuper de l'agriculture et de la qualité de la matière première. On aura besoin d'eux pour sortir de la crise.

Vin, alcoolisme et alcoologie
ou comment boire sans déboires

L'alcoolisme est un mal. Je suis foncièrement antialcoolique, je ne bois guère au travail, sauf exception et jamais plus d'un verre. J'ai au mieux quatre bouteilles à la maison en règle générale. Lorsque j'en ouvre une et que je suis seul, elle peut être vidée sur une à deux semaines (parfois je ne la termine même pas).

J'ai posé la question suivante à certains organismes : « actuellement 45 000 personnes sont victimes de l'alcool, combien le sont-elles par le vin ? ». La réponse a toujours été : « nous ne savons pas, car c'est l'éthanol qui est mis en cause ».

Le vin vivant élaboré avec des levures indigènes et de vignes travaillées sainement doit être considéré comme un aliment gustatif qui titille vos papilles et votre cerveau. Ce type de vin, lorsque vous le tournez dans le verre, aura toujours des arômes différents et il stimulera votre esprit critique.

L'attaque des alcoologues à l'encontre du vin a été néfaste pour les viticulteurs. Je leur conseille un test :

■ Boire deux verres de spiritueux bien tassés un soir avant de se coucher.
■ Inviter des amis le lendemain, et boire une demie à une bouteille d'un bon vin « vivant » en quatre heures de temps lors d'un repas.

Lorsque j'ai vécu cette expérience, l'effet fut le suivant :

■ Le premier jour : j'ai passé une mauvaise nuit, j'ai eu mal au crâne au réveil et pas la moindre érection habituelle du matin.
■ Le second jour : je me suis couché à 2 heures du matin et me suis levé à 7H30 frais et dispos, sans mal de crâne et avec une belle érection.

Pas besoin d'être médecin ni alcoologue pour constater qu'une érection matinale est signe de bonne santé !

Bien entendu, tout cela est anecdotique, chaque organisme a sa propre réactivité... Au reste, il demeure qu'un vin de terroir (lorsqu'il est vivant, issu de l'agriculture saine et vinifié sans artifices et en levures indigènes avec peu de soufre) sera digeste et ne vous donnera pas de lendemains difficiles.

Le livre « *Vin et santé* » aux éditions du Voyage corrobore ce qui vient d'être dit. Selon la préface du professeur Cabrol : « le vin (....) élimine le stress (....), fait baisser le taux de cholestérol ».

Le vin s'avère donc bénéfique, mais nocif en excès, comme l'abus de viande, de sucre, de sel... Un peu plus loin dans le livre, nous pouvons trouver un article intitulé :

« Au volant 0,5g/l, ce n'est ni l'enfer du danger, ni l'enfer de la privation. ».
« Il est intéressant de prendre connaissance du test contrôlé par huissier, réalisé par les vignerons de Fronton sur 95 adultes (...). Chaque participant a consommé (...) 37,5 cl de vin par personne. L'alcoolémie maximum des participants après le repas a été inférieure à 0,34g pour 97% des hommes, et 67% des femmes (....) »

Le vin est bon pour la santé. À consommer avec modération cependant car l'être humain a tendance à l'excès, or ce sont les excès qui nous sont nuisibles.

Des solutions pour sortir de la crise

Points principaux
- Les deux styles de dégustations doivent être reconnus
- Création d'une Appellation Nationale Contrôlée avec ce trigramme ou code de lecture simple : **ANC**, attribué au cépage.
- AOC : Un cahier des charges strict sur l'agriculture et la vinification.
- Un groupe de dégustateurs venant de l'école spirituelle, sachant travailler sur le terrain, rattachés aux organismes des vins ou à l'État comme contractuels.
- Restauration scolaire proposant une cuisine biologique pour l'éducation du goût des jeunes enfants. À partir de la 6e, introduction à la géographie viticole.

Définir les sortes de dégustation

La reconnaissance des deux dégustations et de la marque de terroir dans un vin est impérative.

Le style buccal

Cette dégustation se concentre sur la bouche essentiellement, s'attachant aux tanins, à la concentration de la bouche mais sans retour de bouche. Ce style est adapté aux vins issus de levures sélectionnées de laboratoire, la plupart sont parkerisés.

Le style spirituel

La rétro-olfaction (retour de bouche après avoir barboté puis avalé ou re-craché le vin) est longue, les arômes complexes (de minéralité de fruits d'épices selon les vins...) vous remplissent la bouche et vous titillent l'esprit et le cerveau (arrière du crâne).

La standardisation des vins s'est développée d'une part à cause des produits chimiques utilisés dans les vignes, et d'autre part à cause de l'utilisation des levures sélectionnées de laboratoire dans le processus de vinification.

La marque de terroir

C'est la rétro-olfaction minérale longue qui se dévoile après avoir avalé le vin. Elle se manifeste dans un vin grâce à la symbiose de la vinification et d'une agriculture saine sans désherbants chimiques.

Il semble indispensable que l'ensemble de la profession viticole reconnais-se ces bases de dégustation et qu'elles soient communiquées aux écoles d'œnologie, aux viticulteurs et aux journalistes, qui pourront à leur tour les divulguer.

De nouvelles appellations

Nous devons nous adapter à la dure concurrence étrangère, travailler à l'innovation et composer avec la connaissance des marchés étrangers en y employant un outil d'adaptation. Les consommateurs étrangers choisissent le vin sur un critère principal : le cépage. Les plus connus à l'étranger sont le Chardonnay pour le blanc, les Merlot et Cabernet pour le rouge.

Après mûre réflexion, je pense qu'il faudrait mettre en évidence deux types de viticulture :

- Une viticulture de cépage avec la création d'une nouvelle appellation autour d'un code de lecture simple.
- Une viticulture AOC stricte autour d'un nom ou d'un emblème/marque rassembleur.

Appellation Nationale Contrôlée : Vin de France

Des appellations comme le Muscadet, le Beaujolais ou la région du Languedoc ont des difficultés. Cette appellation pourrait les aider à vendre leur vin. On pourrait par exemple lire Vin de France simultanément avec les mentions suivantes : Chardonnay de Loire, Chardonnay du Beaujolais, Merlot de Loire ou Merlot du Beaujolais, Chardonnay du Languedoc, Merlot du Languedoc. (Actuellement, le vigneron a même la possibilité de greffer un cépage sur un autre).

Cependant, le risque de ce système est de perdre l'authenticité de nos terroirs. Il faut donc établir des règles :

- Un vigneron ne pourra pas tout mettre en ANC sur son vignoble.
- Pour la viticulture : la verdeur de la finale est un défaut de nos vins. En effet, nos raisins sont récoltés moins murs que les Océaniens, Africains ou Américains. L'utilisation des produits chimiques à outrance déséquilibre la faune et la flore. Même si la totalité de la production n'est pas issue de la culture biologique, le plus important est d'obtenir des raisins mûrs (avec le changement de température c'est possible). La viticulture devrait au moins être « raisonnée », cette appellation impliquant une agriculture de terre labourée avec désherbants foliaires tolérés. Les pieds par hectares devraient être revus à la hausse avec neuf mille ou douze mille pieds par hectare.
- Pour la vinification : Il faut s'adapter aux méthodes étrangères de vinification telles que l'ajout de levures sélectionnées de laboratoire, l'ajout de copeaux de bois, l'ajout de moût enrichi. Le plus important est de vendre le vin à l'étranger... Pourquoi ne pas rassembler sur une même étiquette plusieurs vignerons qui ont mélangé leur vin ?

AOC

Afin de garder nos vins de terroirs (vins issus de l'agriculture saine sans désherbants et vinifiés avec les levures indigènes), et l'empreinte du terroir dans nos vins (rétro-olfaction minérale longue), l'ANC ou les règles actuellement en vigueur sont insuffisantes. il faudrait des règles plus strictes :

- Viticulture sans désherbants chimiques.
- Pas de dérogation pour les années pléthoriques.
- Vinification en levures indigènes.
- Le degrés de 13° minimum dans certaines appellations ramenées à 11.5° ou 12° afin d'éviter la chaptalisation.
- La chaptalisation étant tolérée, le consommateur devrait en être informé.
- L'AOC ne serait pas adjugé par dégustation mais par une visite des vignes.
- Afin de savoir où se trouve la région du vin, le cépage, la manière de l'élaborer, une contre-étiquette en français et en anglais devrait être apposée.
- Une appellation exclusive aux AOC devrait être conçue, une marque de vin rassemblant tous les AOC. Cette appellation-marque doit être un code de lecture qui donne au consommateur la confirmation d'un vin de terroir sans artifices.
- Pour les vins de pays, vins de table, et VDQS, nous trouvons, au sein de ces appellations, un certain nombre de producteurs de l'agriculture biologique vinifiant en levures indigènes. Leurs vins ont le caractère du terroir et sont généralement meilleurs que des vins d'AOC issus de vignes chimiques. Pourquoi ne pas les classer alors dans les AOC ?
- Pour le champagne, le désherbant foliaire serait autorisé, la vinification en levures sélectionnées serait tolérée, les pratiques de vinification actuelles seraient tolérées. En effet, si nous imposions aux champenois de changer leurs modes de vinification et d'agriculture d'une manière radicale, leurs vins ne seraient plus les mêmes, et je ne suis pas certain que les consommateurs apprécieraient les différences de goûts.
- Ne donner l'emblème/marque qu'aux seules personnes travaillant le terroir d'une manière saine (sans désherbants) et qui emploient les levures indigènes.

Une nouvelle race de dégustateurs

La création d'un groupe de dégustateurs mis en place pour ce qui concerne l'œnologie dite « spirituelle », doit être envisagée. Ce groupe composé de dégustateurs reconnus rattachés à l'Onivin et à l'Inao exercerait une fonction contractuelle et proposerait un programme de formation destiné aux milieux professionnels :

- Cours de dégustation aux écoles d'œnologie (présentation des deux écoles de dégustation).
- Cours de dégustation pour les vignerons (présentation des deux écoles de dégustation).
- Dégustation des AOC et instauration des références de goûts pour les ANC.

Spécification des vins

Il faut développer les spécifications des vins français de terroir :

- Vin sans ajout de soufre : dispenser des cours pour les vignerons.
- Créer une école de vignerons issus de l'agriculture bio et vinification en levures indigènes.
- Développer des formations de vinification en levures indigènes.
- Dispenser des cours pour la vinification des vins pétillants sans ajout de levures.

Il faut que notre école des vins de terroir se développe. Les formateurs seraient en toute logique des vignerons reconnus dans la production du vin naturel de terroir.

Éducation dès le plus jeune âge

Un programme pour éduquer les jeunes à l'expérience du goût, au vin et au risque de l'alcoolisme est nécessaire :

- Instauration de cours de découverte du goût à la maternelle.
- Mise en place de restauration scolaire bio à partir de la maternelle.
- Introduction de la géographie viticole au sein des programmes de géographie à partir de la 6ème.
- Cours de dégustation et de prévention de l'alcoolisme dans les lycées.

Conclusion

Je m'attends bien évidemment à être atteint de violents acouphènes dans un futur proche lorsque, à la lecture de ce qui vient d'être dit, dans certains milieux autorisés les esprits vont s'échauffer et faire fuser les critiques à mon encontre.

Je les entends d'ici :
- Si nous adoptons les mêmes méthodes œnologiques que les pays étrangers, nous courons à la perte de l'authenticité des vins français !
- L'industrialisation des vins français c'est l'anti-France, le nivellement par le bas !

À cause d'un trop grand orgueil, j'étais devenu un « intégriste », avec des convictions inébranlables, ne visant qu'un objectif et n'en démordant pas. À cause de cela j'ai connu des déboires financiers car, le vin étant mon unique passion, je m'étais détourné de la restauration. Après maintes pérégrinations j'ai pu retrouver une stabilité financière et mentale en entrant au restaurant « La Méditerranée ». Je me suis épanoui, et petit à petit j'ai pu partager ma philosophie avec la clientèle en communiquant cette passion du vin à travers la nouvelle carte des vins. J'ai reculé pour mieux sauter !

Si nous, filière viticole, ne lâchons pas de leste, ne nous remettons pas en cause, la crise s'amplifiera. En 2006, le salaire d'un viticulteur d'AOC a baissé de moins 10%, et de moins 34% pour les autres appellations (*source Journal du soir de France du 22 décembre 2006*).
Un vigneron qui me parle de terroir, alors que son vin présenté en AOC est issu de terre travaillée avec foison de produits chimiques et de surcroît vinifié avec des levures sélectionnées, me fait bien rire. En fait c'est plutôt triste car l'authenticité a disparu et son vin est proche d'un vin industriel.

Il faut être clair, savez-vous que 80% des vins consommés à l'étranger sont de l'agroalimentaire avec un code de lecture simple.
L'avenir viticole français ne peut être envisagé, dans la conjoncture actuelle, selon la seule prospective de la production des vins issus de l'agriculture biologique et vinifiés en levures indigènes avec peu de soufre, bien que ce

soit à mon sens l'attitude la plus respectueuse de l'authenticité des vins et des terroirs. Deux raisons au moins prévalent à cela :

- Peu de vignerons savent le faire.
- Le consommateur novice ne comprend pas encore ce type de vin.

Je suis prêt à m'investir, à donner des conseils, à aider la filière viticole pour la sauvegarde de notre patrimoine et la garantie du vin issu de terre saine et vinifié en levures indigènes (la plupart sont en bio).

L'avenir du vin en France est en danger ! C'est un peu notre « trou dans la couche d'ozone » ou notre « effet de serre » national. Oublions les lobbyings, notre orgueil, et communiquons davantage et mieux. Travaillons main dans la main, que l'on soit producteur bio ou industriel, de l'œnologie buccale ou spirituelle, il n'y a qu'un engagement qui puisse nous réunir dans cette bataille uvale. Au terme du combat, il n'y aura qu'un vainqueur, le Vin...

Château
TOUR GRISE
Saumur
Contrôlée

Poussière
de Lune

Philippe et Françoise GOURDON
Château
TOUR GRISE
VIGNERONS

Certifié Ecocert S.à.r.l. F.32600

Stocker à une température inférieure à 14°C
VIN DE TABLE FRANÇAIS
Mis en bouteille au Domaine des Maisons Brulées par Béatrice et Michel Augé
41110 POUILLE - Tél./Fax : 02 54 71 51 57

LH 2003
14,5 % vol.

...aine de Rapa...
2003
...ÈRES DE NÎMES

...N DE BOURGOGNE
2004

Mâcon-Pris...
Appellation Mâcon-Prissé Contrôle

-CHAMBERTIN
...GE DE LA JUSTICE)
...ATION CONTROLÉE
PROPRIÉTAIRE
Mis en bouteille par
PIERRE BOURÉE FILS
NÉGOCIANT-ÉLEVEUR A GEVREY-CHAMBERTIN FRANCE
Produit de France

75 cl

...yraud

L'Érèbe
"La nuit au...
déposa un...
dans le...

e de Rapatel
2000
...STIÈRES DE N...
...UIS EN BOUTEILLE A...
EYRAUD PROPRIETAIRE-RECOLTAN...
PRODUCT OF FRANCE

Véran...

Clos
Cyri...
1995

GRAND VI...

Le Herdeleau

Ne contient pas de sulfites ajoutés

Ne contient pas de sulfites ajoutés
Stocker à une température inférieure à 14°C

SuaVignon

LH 2004
13,5% vol.   Mis en bouteille a...

Certifié Ecocert S.à.r.l. F.32600

VIN DE TABLE FRANÇAIS
Mis en bouteille au Domaine des Maisons Brulées par Béatrice et Michel Augé
41110 POUILLE - Tél./Fax : 02 54 71 51 57

LH 2004
14 % vol.   Mis en bouteille...

Pouilly-Fuissé
Terroirs de Vergisson
Appellation Pouilly-Fuissé Contrôlée
en bouteille à la Propriété par
ROUSSET Propriétaire-R...
n° 71960 PRISSE...
Vin non filtré - Produit de France

...Les Fontenelles, nou...

MISE EN BOUTEILLES
A LA PROPRIETE

Grand Vin

de Bourgogne

...Chambertin

...armes-Chambertin
...RU

VI...
MIS EN
AU D...
Mme
...AINE
...E...

Le guide
des vins
Adresses des vignerons

Adresses des vignerons

 Un dégustateur professionnel est un éclaireur et non un gourou ou un dieu du vin. En dernier lieu, seuls votre nez, votre langue, votre estomac et les lendemains faciles vous donneront des indications susceptibles d'émettre un jugement sur la qualité des domaines.

Vous trouverez des adresses de vignerons bio et non bio. Tous labourent les sols, utilisent avec parcimonie le soufre et prétendent vinifier en levures indigènes.

Dans ce petit guide, j'ai essayé de réunir tous les vignerons qui élaborent à mon avis des vins de terroir. J'ai évité certains vignerons bio certifiés ou des soi-disant vinificateurs ultra naturels (dont quelques journalistes font parfois les éloges) qui ne me correspondent pas. J'en ai certainement oublié, mais d'éventuels prochains guides, orientés davantage sur les régions, seront plus complets. Vous trouverez les dégustations sur www.vinpur.com

Quelques symboles pilotes

	Ce vin issu de l'agriculture biologique certifiée ou non certifiée est accessible pour tout le monde, aussi bien néophyte qu'amateur. Il est moins compliqué et plus direct que la catégorie suivante.
	Ce vin est très spirituel, une rétro-olfaction longue et complexe, souvent en vin de table car peu compris par les jurys des AOC. Il est vinifié généralement sans ajout de soufre jusqu'à la mise en bouteille. Les nez peuvent gazer, les bouches peuvent gazer. Si vous n'êtes pas amateur de ce genre de vin vivant vous pouvez être surpris et il peut vous déplaire.
	Bon rapport qualité/prix entre 5 et 8 euros (fourchette juin 2007).
NEW	Vigneron découvert récemment ou il faut une seconde dégustation pour confirmer mon avis.

	Prelitte : c'est à la fois une découverte ou un coup de cœur ou les deux ensemble.
	Issu de l'agriculture biologique certifiée par un organisme.
	Biodynamie : vin issu de l'agriculture biodynamique de la marque Demeter.
	Biodyvin : association de vignerons bio garantissant la pratique de la biodynamie.
	Non certifié bio. Sans être extrémiste de la bio (je sais et je comprends que certaines personnes ne veulent pas entrer dans des cathédrales ou des institutions), la certification apporte la preuve du respect de l'environnement.
	Vigneron certifié ou non certifié bio qui adhère à l'association les vins naturels. Lire site www.lesvinsnaturels.org
	Accord mets et vins.

À propos de l'accord mets et vins

Tout d'abord, il faut savoir que l'accord parfait entre mets et vins existe moins dans la pratique que dans la théorie. La différence vient de la manière dont vous cuisinez, mais aussi du millésime et du « caractère » du vin.

De plus, un vin dit « vivant » (issu de l'agriculture biologique, certifié et vinifié en levures indigènes) est différent des autres. Combien de fois mes élèves dégustateurs m'ont-ils affirmé que les vins de ce type sont plus sucrés que ceux de type standard… En effet, généralement un vin bio est issu de raisins plus mûrs (entre 12,5° et 13,5° de titrage naturel) que ceux entrant dans l'élaboration des vins de l'agriculture conventionnelle. L'attaque de la bouche (la sensation sur le bout de la langue) est onctueuse (saveur sucrée). Ensuite, les milieux de bouche peuvent gazer, il suffit alors de carafer avant le service. Vous vous apercevrez que nombre de domaines proposent des vins de table pour la simple raison que leurs produits ont été déclassés, étant mal compris des jurys AOC (composés de vignerons et d'œnologues). Je vous conseille de prendre cet accord mets et vin comme une suggestion ouverte et non comme une formalité.

Alsace

Domaine Valentin Zusslin

57 grande rue - 68500 ORSCHWIHR - Tél. : +333 8976 82 84

Alsace blanc pur avec peu de soufre (biodynamie en levures indigènes).
Un domaine que j'ai redécouvert cette année... Les grands crus (*Gewurztraminer 2002, La Chapelle Riesling Pfingsberg 2001*) sont puissants et concentrés. Je vous conseille de les carafer et de déguster. Mais aussi les Muscat et Pinot auxerrois qui sont de beaux rapports qualité/prix.
Bravo pour ces jeunes...

Domaine Léon Boesch
Gérard et Matthieu Boesch

4, rue du Bois - 68570 SOULTZMATT - Tél. : +333 89 47 01 83 / Fax : +333 89 47 64 95

Les vins blancs sont d'une pureté (confiture de mirabelle) avec une bonne minéralité en rétro-olfaction et une attaque onctueuse qui prouve une maturité phénolique hors norme. À noter une très belle fraîcheur minérale pour les vins moelleux. Une bonne affaire : *Sylvaner*.

Domaine Zind-Humbrecht

4 route de Colmar - 68230 TURCKEIM - Tél. : +333 89 27 02 55 /
Mail : o.humbrecht@wanadoo.fr

Un grand domaine...Tous les journalistes en parlent, je n'en dirai pas plus.

Domaine Pierre Frick

5 Rue de Baer - 68250 PFAFFENHEIM - Tél. : +333 89 49 73 78 / Fax : +333 89 49 73 78
Mail : pierre.frick@wanadoo.fr

Un des précurseurs des vins d'Alsace, il ose une vendange tardive de Pinot noir et l'utilisation de bouchons à vis. Un domaine incontournable avec de grands vins sans ajout de soufre.

Domaine Eugène Meyer

21 A rue de Bergholtz Zell - 68500 BERGHOLTZ
Tél. : +333 89 76 13 87 / Fax : +333 89 83 03 94

Vins d'Alsace AOC *Crémant* d'Alsace, AOC Eau de vie. Des vins typiques, francs qui possèdent une bonne minéralité.

Schaetzel Martin

3 rue de la 5ème DB - 68770 AMMERSCHWIHR - Tél. : +333 89 47 11 39 / Fax : +333 89 78 29 77

Une trés belle découverte de juillet 2007.
Lire le témoignage de Jean Schaetzel au chapitre « *Éclairage pros* ».

Ostertag

87 rue Finkwiller - 67680 EPFIG

Les derniers vins dégustés furent magnifiques, droits sans retour de soufre.

Domaine Barmès Bucher
François Barmès

30 rue sainte Gertrude - 68920 WETTOLSHEIM - Tél. : +333 89 80 62 92

Appellations : AOC Alsace (*Riesling*...). Des vins secs minéraux, francs et droits...

Marcel et Jean-Michel Deiss

15 route du vin - 68750 BERGHEIM - Tél. : +333 89 73 63 37

Le seul en Alsace qui mélange les cépages avec le même terroir. Il a raison. Le terroir domine le cépage, lorsque vous travaillez en bio et vinifiez en levures indigènes.

Domaine Meyer Julien

14 route du vin - 67680 NOTHALTEN
Tél. : +333 88 92 60 15 / Mail : patrickmeyer67@aol.com

Un domaine qui monte...

Binner Christian

2, Rue des Romains - 68770 AMMERSCHWIHR Tél. : +333 89 78 23 20 / Fax : +333 89 78 14 17

Un domaine pur, je vous conseille le *Crémant* mais aussi les alcools. Une référence dans les vins naturels.

1 rue des Trois Châteaux - 68420 HUSSEREN-LES-CHATEAUX
Tél. : +333 89 49 31 54

Lors d'une dégustation de vins sans ajout de soufre, le *Pinot noir vieilles vignes 2002* fut la star. Une référence dans les vins naturels. Les « CP », cuvées particulières, sont sans soufre.

Riesling : simple et nerveux, il accompagnera les huîtres ou les entrées à base de poisson. S'il est riche, avec une pointe de sucre résiduel comme le grand cru de Zusselin en 2001, un rouget au curry ou une bouillabaisse seront deux idées intéressantes.

Gewurztraminer : jovial et rond comme celui de Boesch en 2005, chatoierait une salade mixte poissons et agrumes ou une salade composée d'avocat et de pamplemousse. S'il est droit franc, épicé, avec très peu de sucre comme la Chapelle 2001 : un poisson aux épices serait le bienvenu.

Sylvaner : droit et nerveux comme celui du domaine Boesch en 2005, des huîtres et rillettes de poissons seront les bienvenues.

Pinot gris : riche avec beaucoup de fruits et un peu d'épices. Pourquoi pas un plat sucré salé ou un poisson sauce épicée ?

Muscat : ce cépage aromatique vous animera l'apéritif de vos douces soirées d'été.

Pinot noir : chez les bio ce vin est plus proche de son cousin de Bourgogne comme celui du domaine Barmès Bucher : une belle pièce de bœuf grillé serait parfaite.

L'Alsace, riche de ses vins, serait à elle seule source d'un livre « accord mets et vins ». Certains sommeliers me murmurent à l'oreille qu'un vieux *Riesling* ou *Tokay* Pinot gris pourraient défier les viandes blanches. Et que dire des vendanges tardives : en apéritif avec des toasts au foie gras ou sur une tarte au citron. Pour les grains nobles, riches, sans sucre, la réponse d'un vigneron de Loire : « tout seul avant une sieste crapuleuse ».

Champagne

Attention chers amateurs, un Champagne issu de vignes labourées donnera une effervescence fine et non une effervescence avec de trop nombreuses bulles grâce aux rendements moindres.

Jacques Beaufort

1 rue Vaudemange - 51 AMBONNAY - Tél. : +333 26 57 01 50

Des Champagnes magiques avec des bulles fines, sa spécialité est le Champagne demi-sec.

David Leclapart

10 rue de la Mairie - 51380 TRÉPAIL - Tél. : +333 26 57 07 01

De grands bruts zéro... Des vins gras amples et puissants avec des bulles fines.

Champagne Larmandier-Bernier
Pierre Larmandier

43 rue du 28 Août - 51130 LARMANDIER - Tél. : +333 26 52 13 24

Il faut déguster son *Pinot noir* tranquille et ses terres de vertus millésimées.

Jérôme Prévost

2 rue petite Montagne - 51390 GUEUX - Tél. : +333 26 03 48 60

Ce jeune vigneron propose des cuvées non dosées, pures avec des bulles très fines et un boisé qui se fond dans le vin. Un futur grand.

Georges Laval
Vincent Laval

16 rue du Carrefour - 51480 CUMIÈRES

Des Champagnes corrects et un bon rouge...

 Ces Champagnes sont avant tout des vins avec une légère effervescence. Ils peuvent accompagner un homard (comme un 1989 ou 1990 de Jacques Beaufort), un poisson blanc noble comme le turbot ou la lotte pour les Champagnes de David de Laclapart. Du foie gras en entrée ou une tarte à l'abricot avec un demi-sec 1991 domaine Jacques Beaufort. Pour terminer, Ils proposent aussi des vins rouges tranquilles aux tanins fins qui « amuseront » de l'agneau rôti ou du veau.

À vous d'essayer...Vous aurez beaucoup de surprises.

Jura et Ain

Pierre Overnoy-Emmanuel Houillon

Rue du Poulsard - 39600 PUPILLIN - Tél. : +333 84 66 14 60

Le plus grand des vins sans ajout de soufre, attention parfois ils ne sont pas en phase et vous pouvez être déçus. Mais c'est normal, ce sont des vins très vivants.

André et Mireille Tissot
Stéphane Tissot

39600 MONTIGNY-LES-ARSURES - Tél. : +333 84 66 08 27 / Fax : +333 84 66 25 08

Un grand domaine en blanc...Pureté, minéralité mais surtout puissance et concentration. Pour ceux qui préfèrent les vins sans oxydation ni caractère de noix des vins du Jura, je conseille les *Chardonnay*, pour les autres : *Arbois sélection* et *vin jaune*.

Mélodie est un vin blanc moelleux gourmand pour boire à deux avant une bonne sieste.

Le *Poulsard passerillé* est une découverte !

Domaine de la pinte
Philippe Chatillon

39600 ARBOIS - Tél. : +333 84 66 06 47

Un domaine qui, depuis sa reconversion en bio, élabore de bons vins. Grand vin jaune à partir de 1999 et des vins de paille.

François Grinand

Le Village - 01560 VILLEBOIS - Tél. : +334 74 36 60 74

Aux dernières nouvelles, les vins rouges sont sans ajout de soufre : attention ces vins sont vivants.

Jean-Marc Brignot

39600 MOLAMBOS - Tél. : +333 84 66 33 97 jmbrignot@free.fr

Les vins rouges gazent. Bref ces vins sont en libertés.

Les **vins rouges** sont un peu plus rigides et nerveux que ceux des autres régions. Je serais d'avis de les boire en accompagnement de grillades. Stéphane Tissot a élaboré plusieurs vins rouges aussi dynamiques qu'un grand vin de Bourgogne, je conseillerais de les servir après un passage en carafe avec une estouffade bœuf bourguignonne.

Deux types de vins blancs :

■ Les **Chardonnay non typés savagnin**, sans note de noix ni d'épices : un saumon grillé sauce béarnaise pour les vins les moins riches. Pour les plus riches, pourquoi ne pas proposer un poisson au beurre blanc ?

■ Les **Chardonnay typés savagnin** avec une note de noix et d'épices : un rouget au curry, une Paella, un fromage fort comme un Maroilles ou Époisses.

Pour les **vins jaunes** : poularde sauce blanche aux morilles ou aux truffes, veau orloff (bacon et fromage), Comté

Bourgogne

Domaine Les Faverelles

15 rue du Four 89450 ASQUIN - Tél. : +333 86 33 34 42

Appellations : Bourgogne, Vézelay.
Les vins blancs sont droits, semi-étoffés et propres. Une belle découverte...

Chablis

Catherine Moreau

5 rue de Montmaillant 89800 PRÉHY - Tél. : +333 86 41 43 78

Ces *Chablis* sont les plus personnalisés, les plus purs et les plus spirituels. Tellement spirituels que Catherine n'était comprise ni des médias ni des acheteurs. Depuis 2003, elle donne ses raisins à la coopérative la Chablisienne qui levurent les vins, quel dommage ! Bref, plus de vins à vendre, sauf chez mon ami Serge Dupont aux vignes de France.

Maison Joseph Drouhin

7 rue d'Enfer - BP 29 - 21201 BEAUNE CEDEX - Tél. : +333 80 24 68 88 - Fax : +333 80 22 43 14

Appellations : Domaine de Vaudon, Grand cru Vaudésir, Grand cru Bougros, Grand Cru les Clos etc...
J'ai adoré leurs *Chablis*... La maison Drouhin est en reconversion depuis 2006. (voir « Éclairages pros »).

Alice et Olivier de Moor

17 rue Jacques Ferrand 89800 COURGIS
Tél. : +333 86 41 47 94 - Mail : alice.olivier-demoor@worldonline.fr

En reconversion bio. Leurs vins peuvent être déroutants pour certaines personnes !

Domaine Long-Depaquit
Maison Bichot

45 rue Auxerroise 89100 CHABLIS - Tél. : +333 86 42 11 13 - Fax : +333 86 42 81 89
Mail : chateau-long-depaquit@albert-bichot.com

Tout ne me plait pas, mais ils ont aussi de très belles cuvées. Laissons du temps à cette maison pour qu'elle s'améliore encore. (Voir Maison Bichot en Côtes-de-Beaune).

Côtes-de-Nuit

Domaine Trapet Père et fils
Jean-Louis Trapet

53 route de Beaune 21220 GEVREY-CHAMBERTIN - Tél. : +333 80 34 30 40

Appellation Bourgogne Gevrey-Chambertin et satellites.
Une belle référence en Bourgogne, je suis tombé amoureux de leur *Passetoutgrain* qui n'a vu le soufre que juste avant la mise en bouteille.

EARL Jane et Sylvain
Jane Bernollin / Sylvain Raphanaud

9 rue du Chêne 21220 GEVREY-CHAMBERTIN - Tél. : +333 80 34 16 83

Appellation Bourgogne Gevrey-Chambertin village et 1er cru.

Deux jeunes vignerons qui possèdent plus de deux hectares et demi de vignes. C'est ma découverte de l'année. Du pur minéral qui possède la marque des vins propres et naturels : le marc de vin. De plus les prix ne sont pas pharaoniques. Un seul mot, bravo !

Henri Richard

75 route de Beaune - 21220 GEVREY CHAMBERTIN - Tél. +33380343137

Appellations : Gevrey-Chambertin aux Corvées, Marsannay, Charmes-Chambertin, Mazoyères-Chambertin
Ce domaine en bio depuis peu donne des vins rustiques mais corrects.

Domaine de la Romanée-Conti
Société Civile du Domaine de la Romanée Conti

1 rue Derrière le Four - 21700 VOSNE-ROMANEE - Tél. : 03 80 62 48 80 / Fax : 03 80 61 05 72

Vous ne saviez pas que le meilleur vin de France, le plus emblématique, le plus connu, le plus courtisé est en bio. J'ai eu la chance à plusieurs reprises de déguster des magnifiques flacons dont un vieux millésime d'une Romanée-Conti, une La tâche 1982 et 1991. C'était très bon.

Maison Pierre Bourée
Bernard Valet

13 route de Beaune 21220 GEVREY-CHAMBERTIN - Tél. : +333 80 34 30 25

Appellations : Gevrey-Chambertin Clos de la justice 1er cru, Les Cazetiers, Les Échezeaux, Clos-Vougeot Chambertin, Clos de Bèze etc...
C'est une famille de négociants artisans. Les terres sont labourées sans ajout de désherbants. Les vins sont vinifiés avec des levures indigènes et sans éraflage des raisins. Ce sont des vins de garde avec une finale minérale longue.

Côtes-de-Beaune

Maison Albert Bichot

6 bis boulevard Jacques Copeau 21200 BEAUNE
Tél. : +333 80 24 37 37 / Fax : +333 80 24 37 38
Mail : bourgogne@albert-bichot.com - Site : www.albertbichot.com

Appellations : Échezeaux, Nuits-saint-Georges, Gevrey-Chambertin etc.
Albert Bichot, cent hectares de vignes en propriété. Les terres sont labourées depuis 2000 et la vinification est en levures indigènes ; je me doute que je serai critiqué mais tant pis... Il y a de bons produits, mais aussi des vins qui ne me conviennent pas. Si je les note dans ce petit guide c'est pour

les encourager car ils sont en bonne voie. J'ai aimé le *Pommard 2003 Clos des Ursulines, Nuits-Saint-Georges 2003 les Crots*, entre autres...

Emmanuel Giboulot

J'adore ses blancs, surtout les Pierres Blanches. C'est un domaine correct avec de belles surprises.

Didier Montchovet

rue de l'ancienne gare - 21190 NANTOUX - Tél. : +333 80 26 03 13
Mail : Didier.Montchovet@wanadoo.fr

Appellations : Beaune, Pommard, Aligoté, Hautes Côtes-de-Beaune.
Un grand vigneron, j'adore son *Aligoté*, son *Beaune* rouge et son *Hautes Côtes-de-Beaune*. Grand domaine.

Domaine Dominique et Catherine Derain
L'ancienne cure

49 rue des Perrières - 21190 SAINT-AUBIN - Tél. : +333 80 21 35 49 - Port. : +336 82 10 28 65

Pommard, Mercurey, Saint-Aubin...
Un domaine incontournable, je vous conseille le *Saint-Aubin*...

Jean-Claude Rateau

route de Bouze 21200 BEAUNE - Tél. : +333 80 22 98 91

Appellations : Beaune blanc et rouge, Bourgogne blanc et rouge.
Je vous conseille les plus petites appellations (Bourgogne rouge et blanc).
C'est un domaine correct mais qui devrait à mon avis boiser un peu moins certaines cuvées.

Domaine Jean Javillier et fils
Alain et Thierry Javillier

6 rue Charles Giraud 21190 MEURSAULT - Tél. : +333 80 21 24 61

Appellations : Volnay village et 1er cru, Meursault village et 1er cru.
Un des vieux domaines en bio, les Meursault blancs sont puissants et
mûrs.

Domaine Guyot
Thierry Guyot

rue la Pierre ronde 21190 SAINT-ROMAIN - Tél. : +333 80 21 27 52

Appellations : Saint-Romain, Puligny-Montrachet.
Des vins droits et fins... Les *Puligny-Montrachet* sont de garde...

Maison Joseph Drouhin

7 rue d'Enfer - BP 29 - 21201 BEAUNE CEDEX - Tél. : +333 80 24 68 88 - Fax : +333 80 22 43 14

Appellations : Chassagne-Montrachet, Montrachet, Beaune, Clos des
mouches blanc et rouge, Rully.
Je ne suis pas fan des vins rouges et je ne sais pas pourquoi. En revanche,
le *Chassagne-Montrachet Marquis de Laguiche 2004* est imposant et
minéral. Le *Rully 2004* blanc est droit bien équilibré. Domaine en reconversion bio depuis 2006.

Domaine de Chassorney

Saint-Romain 21190 MEURSAULT - Tél. : +333 80 21 65 55 / Fax : +333.80 21 40 73

Apellations : Bourgogne Hautes-Côtes-de-Nuits, Saint-Romain (rouge et
blanc), Auxey-Duresses (rouge et blanc), Nuits-Saint-Georges.

J'ai dégusté un *Saint-Romain* rouge pour mon anniversaire, qui gazait. Le vin carafé était agréable, gouleyant et minéral. Des vins pour amateurs de vins (très vivants).

Domaine Anne-Claude Leflaive

Place des marronniers - 21190 PULIGNY-MONTRACHET - Tél. : +333 80 21 30 13

Appellation : Puligny-Montrachet 1er cru, Batard-Montrachet, Chevalier-Montrachet, Les Pucelles.
Des appellations à la hauteur de leur hiérarchie grâce à un travail en bio-dynamie et une vinification en levures indigènes.

Domaine Pierre Morey

13 rue Pierre Mouchoux 21190 MEURSAULT - Tél. : +333 80 21 21 03

Appellations : Meursault, Monthélie... Une valeur sûre...

Sud de la bourgogne

Domaine les champs de l'abbaye
Alain et Isabelle Hasard

3 place de l'abbaye - 71510 SAINT-SERNIN-DU-PLAIN -Tél. : +333 85 45 59 32

Appellations : Bourgogne Côtes-du-Couchois, Bourgogne Passetout-grain, Rully depuis peu.
De beaux vins rouges de garde en simple appellation Bourgogne. Un exemple à suivre.

Côte Chalonnaise

Domaine Pierre et Martine D'Heilly Huberdeau

1254 Cercot 71390 MOROGES -Tél. : +333 85 47 95 27 / Fax : +333 85 47 98 97

Appellations : Crémant de Bourgogne, Passetoutgrain, Aligoté, Bourgogne.
Ce domaine propose un très bon *Crémant*... Je n'ai pas redégusté depuis deux ans.

Domaine Guy Chaumont

1 rue de Treuil 71390 ROSEY - Tél. : +333 85 47 94 70 / Fax : +333 85 47 97 24

Appellations : Givry, Aligoté, Passetoutgrain...
Je ne connais pas ce vigneron, mais tous les vins que j'ai bus sont honnêtes avec un plus pour l'*Aligoté*. Je dégusterai prochainement.

Domaine A. et P. de Villaine

2 rue de la Fontaine - 71150 BOUZERON -Tél. : +333 85 91 20 50 / Fax : +333 85 87 04 10

Appellations : Aligoté, Rully, Mercurey.
Domaine honorable avec un bon *Aligoté Bouzeron*.

Le Mâconnais

C'est la région de bourgogne qui explose. Je propose pour ma part des vignerons jeunes et respectueux de l'environnement. Leurs vinifications sont
dans la logique de la viticulture propre et élaborée.

Les vignes du Mayne
Julien et Alain Guillot Sagy

71260 CRUZILLES - Tél. : +333 85 33 20 15

Appellations Mâcon-Cruzilles blanc et rouge, et Bourgogne Pinot noir.
Depuis que Julien (moins de 30 ans) a pris la succession de son père, le domaine a gagné en finesse. Les vins rouges sont vinifiés sans ajout de soufre, pour le vin blanc le soufre est ajouté avant la mise en bouteille. Très grand domaine...

Nicolas Rousset

Chemin de Mont 71960 CHEVIGNÉ - Tél. : +333 85 35 89 62 / Port. : +336 73 87 29 25
Mail : domaine.rousset@wanadoo.fr

Appellations Saint-Véran, Mâcon blanc et Pouilly-Fuissé.
Reconversion bio jusqu'au millésime 2004, le vignoble est en bio depuis le millésime 2005.
Serge Dupont (les vignes de France à Paris) me l'a fait découvrir. Nicolas a repris le domaine depuis 2001. Il faudra quelques années pour que le terroir vienne à bout des produits chimiques. Ce domaine propose Mâcon, Saint-Véran, mais aussi : une cuvée Henry 2003 jeune, puissant, riche et épicé. À mon avis, il est la future Star de l'appellation de Pouilly-Fuissé.

Domaine St barbe
Jean-Marie Chazelles

Chaland en Chapotin 71260 VIRÉ - Mail : chazellesdom@aol.com

Appellations : Mâcon, Viré Clessé.
Vigneron du Mâconnais très correct.

Domaine Combier

Rue de l'ancien Presbytère 71960 PRISSÉ - Tél. : +333 85 37 89 45 / Port. : +336 19 39 64 72

Appellation : Saint-Véran

Il est le voisin et le collègue de Nicolas Rousset. Tous deux entretiennent apparemment des relations plus que cordiales, se prêtant divers matériels, effectuant ensemble leur vendange... Ce domaine en reconversion bio, propose des vins plus spirituels. Attention, vous pouvez être surpris de leur liberté. C'est un domaine que je suivrai attentivement. Bonne surprise !

Château des Rontets
Claire et Fabio Gazeau-Montrasi

71960 FUISSÉ - Tél. : +333 85 32 90 18

Appellations : Saint-Amour, Pouilly-Fuissé.

Ce domaine en reconversion bio propose trois *Pouilly-Fuissé* aussi différents les uns que les autres. La rétro-olfaction minérale explose en bouche. N'oubliez pas de déguster le *Saint-Amour*.

Domaine Martine et Daniel Barraud

Les Nambrets 71960 VERGISSON - Tél. : +333 85 35 84 25

Appellation : Pouilly-Fuissé.

Divers *Pouilly-Fuissé* se distinguant entre eux sont proposés par ce domaine. J'ai une préférence pour un *Buland*. En dégustant les vins de ce domaine, vous sentirez les différences des terroirs *Pouilly-Fuissé*.

GRAND VIN DE BOURGOGNE

2002

Pouilly-Fuissé

Terroirs de Vergisson
Appellation Pouilly-Fuissé Contrôlée

Mis en bouteille à la Propriété par

Nicolas ROUSSET *Propriétaire-Récoltant*
"Chevigne" 71960 PRISSÉ - France
PRODUIT DE FRANCE

13% vol.   75 cl

2003

Saint-Véran

Appellation Saint-Véran Contrôlée

"Les Montchanins"

Mis en bouteille à la Propriété par

Nicolas ROUSSET *Propriétaire-Récoltant*
"Chevigne" 71960 PRISSÉ - France

PRODUIT DE FRANCE

15% vol.   75 cl

Domaine de Rapatel

2000

Costières de Nîmes
APPELLATION COSTIÈRES DE NÎMES CONTRÔLÉE

MIS EN BOUTEILLE AU DOMAINE
CHRISTINE EYRAUD PROPRIÉTAIRE-RÉCOLTANT A CAISSARGUES (GARD) FRANCE
PRODUCT OF FRANCE

Alc. 13,5% by vol.   750 ml

Vin non filtré - Produit de France

Pourrière de Lune

Stocker à une température inférieure à 14°C

Certifié Ecocert s.a.s. F.32600

LH 2003   VIN DE TABLE FRANÇAIS
14,5% vol.   Mis en bouteille au Domaine des Maisons Brulées par Béatrice et Michel Augé   750 ml
41110 POUILLE - Tél/Fax : 02 54 71 51 57

LRZ

ZéRO appellation pour ce vin 100% Cabernet Franc.
Il est le fruit de notre production en BIODYNAMIE.
Peu alcoolisé, tendre et acidulé, il vous étonnera.
À boire très frais.

Vin issu de raisins
de l'agriculture biologique

ZéRO.

POINTÉ

Ne contient pas de sulfites ajoutés   Vin non filtré - Produit de France

Sua Vignon

Stocker à une température inférieure à 14°C

Certifié Ecocert s.a.s. F.32600

LH 2004   VIN DE TABLE FRANÇAIS
14 % vol.   Mis en bouteille au Domaine des Maisons Brulées par Béatrice et Michel Augé   750 ml
41110 POUILLE - Tél/Fax : 02 54 71 51 57

GEVREY-CHAMBERTIN

(CLOS DE LA JUSTICE)
APPELLATION CONTROLÉE

PROPRIÉTAIRE

Mis en bouteille par

13% vol.   **PIERRE BOURÉE FILS**   75 cl

RÉGOCIANT-ELEVEUR A GEVREY-CHAMBERTIN FRANCE
Produit de France

Domaine Philippe Valette

Les Buissonnats 71570 CHAINTRÉ - Tél. : +333 85 35 66 59

Appellations : Mâcon et Pouilly Vinzelles.
Les vins de ce domaine sont minéraux, puissants et concentrés. Je vous conseille de les garder deux ou trois ans avant de les consommer.

Domaine Catherine et Gilles Vergé

Appellation vin de table, sans ajout de soufre.
À mon avis, ces vignerons sont la tête de proue des vignerons naturels. S'ils ne sont pas en bio, c'est que « *dans la bio, il y a des vignerons qui levurent, chapatilisent et soufrent trop leur vin* ». Attention leurs vins sont très libres et vous pourriez être assez déroutés. S'ils étaient en bio, ils seraient une référence et peut-être que certains vignerons « bio » industriels se remettraient en question.

Les vins blancs

Le **vin blanc Aligoté** : mal-aimé du grand public à cause de sa grande nervosité, il est la base du Kir. Lorsque l'aligoté est issu de terre saine sans désherbant et vinifié sans artifice, il est respectable, semi-étoffé, sans déséquilibre acide tels ceux de Olivier de Moor, Guy Chaumont, de Villaine, et Didier Montchovet. Vous les boirez sur du saumon fumé ou des escargots.

Les **Bourgognes Chardonnay** ont comme l'Aligoté une mauvaise image. J'ai pu découvrir récemment un domaine issu de l'agriculture biologique avec une vinification en levures indigènes. Ce domaine – Les Faverelles – propose un Chardonnay aux notes fraîches d'agrumes, bien équilibré sans acidité excessive, il serait agréable avec un chèvre frais, des escargots, rillettes de poissons.

Les **Chablis** sont semi-étoffés et accompagnent très bien une entrée à base de poissons, des escargots, ou du saumon fumé. Le premier cru **Les Lys 2004** d'Albert Bichot plus long en bouche sans trop de puissance accompagnerait bien un bar grillé. Le grand cru **Vaudésir 2003** de Joseph Drouhin (puissant, miellé et long en bouche) s'orienterait plus vers un grand poisson (comme la lotte ou le turbot) en sauce légèrement épicée.

Pour mémoire, les vins blancs de Côtes-de- Nuits sont rares. En effet, cette région est le sanctuaire des vins rouges racés de Bourgogne. Tous les vins blancs produits sur les terres de vins rouges sont ronds, un peu lourds avec un manque d'acidité (exemple : **Vougeot, Musigny, Nuits-Saint-Georges, Morey-Saint-Denis**). On peut les accompagner avec de la volaille à la crème fraîche. Le **Marsannay** blanc à l'aveugle vous surprendra, et vous régalera avec un brochet au beurre blanc.

En Côtes- de-Beaune, Il y a deux parties : entre Beaune et Nuits-Saint-Georges, vous trouverez le village Pernand-Vergelesses. Cette appellation village (exemple de la maison Pierre Bourée) sera délicieuse avec un poisson délicat comme le bar. L'appellation grand cru, le **Corton-Charlemagne 2003** de la Maison Pierre Bourée est gras, concentré et minéral. La longueur imposante de la rétro-olfaction envahira votre bouche. Un homard, un turbot et même une viande blanche en sauce et champignons seront nécessaires pour ce grand vin.

Entre Beaune et Santenay, vous avez les trois villages rois des vins blancs : Meursault, Chassagne-Montrachet, **Puligny-Montrachet**. Ce dernier village donne des vins élégants, fins comme ceux de Madame Anne-Claude Leflaive... Je vous les conseille avec des noix de Saint-Jacques. Le **Chassagne-Montrachet** (exemple **Marquis de Laguiche** de la Maison Drouhin), le **Meursault 1er cru les Perrières** de la Maison Pierre Bourée donnent des vins masculins, puissants : poularde aux truffes, homard, turbot seraient l'idéal. Le **Meursault village** est plus rond, par exemple le 2003 de Pierre Bourée (gras, épicé) peut accompagner un foie gras pour les personnes qui n'aiment pas les vins moelleux, ou un feuillé de ris de veau et du poisson en sauce.

Saint-Romain et **Saint-Aubin** sont deux villages peu connus du grand public. Le premier (exemple : Thierry Guyot) est tendre, féminin : poissons grillés, rillettes de poisson seraient idéals. Le second (exemple : domaine Dominique Derain) est plus puissant et accompagnerait un poisson en sauce.

Au sud de la Bourgogne, vous avez deux régions : la Côte Chalonnaise (Rully, Givry, Mercurey, Bouzeron) et le Mâconnais (Pouilly-Fuissé, Mâcon, Saint-Véran) qui regorgent de vignerons aimant la nature et le vin de terroir.

Rully, Saint-Véran, Mâcon donnent des vins frais, semi-étoffés : escargots, entrée à base de poissons, huîtres, poissons cuits meunière seront des mets appropriés.

Mais des domaines comme les vignes du Mayne produisent de temps en temps des vins riches, à l'attaque onctueuse (exemple : **Aragonite 2001**), et une finale ronde : foie gras (pour les gens qui n'aiment pas les vins moelleux), volaille en sauce seraient plus envisageables.

Les **Pouilly-Fuissé, Pouilly-Vinzelles** sont plus puissants, moins étoffés toutefois, que leurs voisins de la Côte-de-Beaune : poissons en sauce ou gambas sauvages grillées seront des mets adéquats. Le **Pouilly-Fuissé 2003 cuvée Henry** de Nicolas Rousset est atypique grâce au nez de mirabelles confites et à sa bouche onctueuse et puissante. Ce vin, je le conseille avec une bouillabaisse.

Les vins rouges

Les vins rouges de Bourgogne sont surtout élégants avec une finale aux tanins fins, mais ils peuvent être longs puissants selon les terroirs.

Vin friand tel que **Bourgogne Passetoutgrain** de Trapet, Bourgogne des vignes du Mayne et de Jane et Sylvain, **Marsannay** (selon les terroirs et les millésimes, exemple Marsannay 2001 Pierre Bourée) ; ces Bourgogne sont gourmands avec un milieu de bouche léger : charcuterie, anguilles ou thon feraient bon ménage.

Semi-étoffé pour les villages tels que **Gevrey-Chambertin** (exemple 1997 de Pierre Bourée), **Meursault rouge** et **Monthélie** de Pierre Morey : agneau, volaille sauce vin rouge.

Elégant avec de la longueur tels les Vins de **Gevrey-Chambertin** comme Les **Cazetiers, Beaune Lulune** de Emmanuel Giboulot, **Manganite** – Mâcon concentré – des vignes du Mayne : coq au vin, sauté de veau Marengo.

Puissant comme l'**Échezeaux** de la Maison Pierre Bourée, **Pommard Clos des Ursulines** et **Nuits-Saint-Georges les Crots 2003** de La Maison Bichot : côte de bœuf, estouffade de bœuf bourguignon, gibier.

Beaujolais

Si vous ne dégustez plus de Beaujolais depuis longtemps, ces domaines vont vous réconcilier avec ces appellations.

Christian Ducroux

Thulon 69430 LANTIGNÉ - Tél. : +334 74 69 20 47

Appellations Régnié, Beaujolais et Beaujolais village.
Un maître incontestable : travail au cheval (agriculture bio-dynamique marque Demeter), vinification sans chaptalisation, la plupart des vins doivent être sans ajout de soufre. J'ai dégusté deux fois le Beaujolais village 2005 nouveau à l'aveugle. Une première bouteille en janvier avec Michel Augé, une seconde en compagnie d'autres vignerons au mois de mai.

Qui a dit que le Beaujolais nouveau c'est de la merde ? Pour ceux qui dénigrent le Beaujolais, sachez que lorsqu'il est élaboré de cette manière ce vin fait partie des meilleures appellations de France. Oubliez les préjugés et venez déguster les Beaujolais bio (vinifiés en levures indigènes bien sûr).

Bruno Debize

Apinost - Chemin des prenelles - 69210 BULLY - Tél. : +334 74 01 03 62

Appellation de Beaujolais blanc et rouge. Beaujolais nouveau.
Le Beaujolais nouveau est un vin de repas. J'ai une préférence pour les blancs, les rouges doivent être attendus ou carafés pendant un minimum de trois heures.

Philippe Jambon

Vers l'église - 71570 CHASSELAS - Tél. : +333 85 35 17 57 - philippejambon@aol.com

Ses *Beaujolais* sont hors normes, purs et en liberté !

Marcel Lapierre

BP 4 - Les Chênes - 69910 VILLIE MORGON - Tél. : +334 74 04 23 89 / Fax : +334 74 69 14 40
Site : informations@marcel-lapierre.com

Appellations : Beaujolais et Morgon.
Des Beaujolais friands et gourmands, et des *Morgon* pleins de fruits, certaines cuvées sont sans ajout de soufre. Certification bio en cours d'année 2007 pour ce vigneron.

 Les Beaujolais accompagnent bien cochonnailles et viandes grillées, les grands crus tels que Morgon et Régnié peuvent côtoyer les estouffades bourguignonnes et coq au vin. Les vins beaujolais blancs semi-étoffés de Bruno Debize seront délicieux avec des poissons grillés ou meunière.

Côtes-du-Rhône

Domaine du vieux chêne
Jean-Claude et Béatrice Bouche

rue Buisseron 84850 CAMARET - Tél. : +334 90 37 45 07 / Fax : +334 90 37 76 84

Une belle découverte de l'année 2005, ils proposent des vins ayant une bonne maturité phénolique, et une rétro-olfaction minérale. Les prix sont corrects entre 6 et 10 €.

Domaine de la ferme Saint-Martin
Guy Jullien

84190 SUZETTE - Tél. : +334 90 62 96 40 / Fax : +334 90 62 90 84

Appellations : Côtes-du-Rhône- Village, Beaume de Venise, et Côtes-du-Ventoux.Ce domaine propose des vins de garde avec une finale rustique... Bon domaine.

La cave la vigneronne
M.Andrillat Jean-Pierre

Villedieu-Buisson - 84110 VILLEDIEU - Tél. : +334 90 28 92 37
Mail : la.vigneronne@libertysurf.fr

Appellations : vin de la principauté d'Orange et Côtes-du-Rhône.
Ce fut l'une de mes découvertes de l'année 2005. Cette cave coopérative propose quinze hectares en bio vinifiés en levures indigènes. Les prix sont très abordables. Je serais heureux de redéguster afin de confirmer mon avis.

Frédéric Daumas

S.C.A. Saint Apollinaire 84110 PUYMERAS - Tél. : +334 90 46 41 09 / Fax : +334 90 46 44 16
Mail : domaine-st-apo@wanadoo.fr

Produits : vins AOC Côtes-du-Rhône, Côtes-du-Rhône-village, vin de table.
De magnifiques blancs, et des vins rouges respectables...

Domaine Roche Buissière
Antoine Joly

Route de Vaison - 84110 FAUCON - Tél. : +334 90 46 49 14 - Port. : +336 64 87 51 94

Appellations : vin de pays et de table, Côtes-du-Rhône.
Un domaine de vins naturels inévitables...

La ferme des 7 Lunes
Jean Delobre

07340 BOGY - Mail : jean.delobre@wanadoo.fr

Appellations Saint-Joseph rouge, vin de pays et de table.
Les vins *Saint-Joseph* rouges sont une valeur sûre, les vins blancs sont
très spirituels et seulement pour les amateurs. Le blanc 2004 élevé en fût
neuf est plus traditionnel.

Domaine Jean David

Quartier le Jas 84110 SÉGURET - Tél. : +334 90 46 95 02

Appellations : Côtes-du-Rhône Village Ségur.
Jean David est un personnage !... Il propose des vins intéressants, et un vin
sans ajout de soufre.

Domaine de Montirius
Christine et Éric Saurel

Le Devès 84260 SARRIANS - Tél. : +334 90 65 38 28

Appellations : Vacqueyras, Gigondas, vin de pays...
Ce domaine propose des vins purs... Indispensable !

Domaine Monier
Brunieux

07340 SAINT-DÉSIRAT - Tél. : +334 75 34 20 64

Appellation Saint-Joseph.
Des *Saint-Joseph* droits et minéraux...

Domaine du Coulet
Matthieu Barret

43 rue du Ruisseau 07130 CORNAS - Tél. : +334 75 80 08 25

Des vins puissants et longs en bouche...

Marcel Richaud

Route de Rasteau 84290 CAIRANNE - Tél. : +334 90 30 85 25
Mail : marcel-richaud@wanadoo.fr

Appellation Cairanne.
Ce vigneron propose des vins d'une belle pureté et d'une grande profondeur. Un domaine incontournable... Il gagnrait à être en bio...

Domaine du Joncier
Marine Roussel

Rue de la Combe 30126 TAVEL - Tél. : +334 66 50 27 70
Mail : domainedujoncier@free.fr

Appellations : Lirac et vin de table. J'adore la cuvée Le Maudit...

Domaine Trapadis
Helen Durand

Route d'Orange - 84110 RASTEAU - Tél. : +334 90 46 11 20

Une belle surprise, Helen Durand fait partie des vignerons importants pour mon éducation gustative. Grâce à lui, j'ai réuni les pièces du puzzle de dégustation. Les vins sont très minéraux. J'ai adoré le vin en BIB.

Domaine Viret
Philippe Viret

26110 SAINT MAURICE SUR EYGUES - Tél. : +334 75 27 62 77

Appellation *Côtes-du-Rhône*.
Un Côtes-du-Rhône hors normes et puissant. Domaine contrôlé par Qualité France (organisme certificateur).

 Les vins rouges

Deux catégories se présentent à vous :
▪ Les friands avec du caractère : **Côtes-du-Rhône** tels ceux du domaine de Trapadis et de la cave la vigneronne qui accompagneront bien les viandes grillées et cochonnailles,
▪ Les étoffés tels que **Gigondas**, **Vacqueyras** du domaine de Montirius, les **Saint-Joseph** de Monier et de la ferme des 7 Lunes, les **Côtes-du-Rhône village** du vieux chêne et du domaine Viret : côte de bœuf, gibier.

Les Côtes-du-Rhône rosés sont des vins de repas : agneau, brochettes et Merguez grillés seraient parfaits pour un midi ensoleillé.

Provence

Domaine de Sainte-Anne

43 rue du Ruisseau 07130 CORNAS - Tél. : +334 75 80 08 25

Appellations : Bandol rouge, blanc et rosé.
Peut-être le meilleur rosé de France, les rouges sont de garde. Un très bon domaine.

Domaine de Terre blanche
Guillaume Rérolle

Route de Cavaillon 13210 - SAINT-RÉMY-DE-PROVENCE - Tél. : +334 90 95 91 66
Mail : terres.blanches@wanadoo.fr

Appellations : Baux-de-Provence, Coteaux d'Aix-en-Provence.
Domaine correct, la cuvée *Bérengère* 100% *Mourvèdre* est intéressante.

Henri Milan

La tuilerie vieille - 13210 SAINT-RÉMY-DE-PROVENCE - Tél. : +334 90 92 12 52

Appellations : vin de table, Baux-de-Provence.
C'est peut-être le domaine le plus spirituel de la Provence. Pour amateurs.

Domaine Hauvette

La Haute Galine - 13210 SAINT- RÉMY-DE-PROVENCE - Tél. : +334 90 92 03 90

Appellations : Baux-de-Provence, vin de pays des Bouches-du-Rhône.
Bien que le vin rouge ne soit pas du tout mon style, le blanc est intéressant.

Domaines des Fouques
Famille Gros

1405 Chemin des Borrels - 83400 HYÈRES - Tél. : +334 94 65 68 19 / Port. : +336 08 58 33 71

Appellation Côtes de Provence.
Le rosé fait sans aucun doute partie des meilleurs de France, les vins rouges sont de garde.

Les rosés de repas se partageront bien votre palais avec une bouillabaisse et de la viande grillée au barbecue. Le **Bandol blanc** 2005 de Sainte-Anne sera parfait sur du poisson épicé en sauce, et les **vins de table** spirituels blancs de Henri Milan seront plus appropriés avec une viande blanche épicée comme un curry d'agneau au riz Madras.

Les vins rouges de cette région sont puissants. Pendant leur jeunesse, une pièce de bœuf conviendrait tout à fait ; un gibier serait plus approprié pour les vins d'un âge certain.

Languedoc

Domaine André Bourguet

Montmimas 34500 BÉZIERS - Port. : +336 68 71 95 04

Appellations : vin de pays et Cartagène.
Propriétaire d'une dizaine d'hectares de vignes, dans la banlieue de Béziers, essentiellement en Grenache, Syrah et Cabernet-Sauvignon, André

Bourguet produit des vins nets, propres et purs (nez de Marc de vin). Ses vins opèrent une autoprotection, c'est pourquoi le premier nez est souvent sauvage. Il suffit de les carafer pour retrouver la pureté.

Dans ce monde de standardisation, ses vins sont atypiques. C'est un « grand » vin de pays .

Bouilleur de crus, il propose une *Cartagène* (apéritif à base de jus de raisin et d'Eau de Vie de vin) qui ne laisse pas nos femmes indifférentes. De surcroît, avec le *Cabernet-Sauvignon* Les Rudelles 2001, produit à 35 hectolitres à l'hectare, servi en carafe, vous pourrez en surprendre plus d'un.

André Bourguet est un vigneron à suivre ! Le vin de campagne (5 € à Paris chez les cavistes) est d'un excellent rapport qualité/prix.

Domaine Le Zaparel

Domaine Saint Julien - 11700 AZILLE - Tél. : +334 68 91 16 57

Depuis le millésime 1999, ce domaine en biodynamie Demeter – avec élevage d'animaux – a nettement progressé et atteint un haut niveau en vinification. C'est pur, c'est propre...

Domaine de la Tour
Philippe Cluzel

Earl Domaine de la Tour - Route de Bellegarde 30300 BEAUCAIRE
Tél. : +334 66 01 61 86 - Mail : domtour@tele2.fr

Appellation vin de pays.

Jeune domaine en bio qui élabore des vins propres sans casse-tête. Excellent rapport qualité/prix (entre 3 € et 6 €).

Domaine de Loupia
Nathalie et Philippe Pons

Les Albarels - 11610 PENNAUTIER - Tél. : +334 68 24 91 77 - Mail : domaineloupia@wanadoo.fr

Appellations : Cabardès, vin de pays de Carcassonne.
Ce domaine évolue d'année en année, les vins sont riches avec des tanins gras. N'hésitez pas à carafer le vin pour enlever le gaz.

Domaine de Greyssac
Jean-Michel Rieux

30630 VERFEUIL - Tél. : +334 66 72 90 36 - Mail : domdegressac@aol.com

Appellation vin de pays du Gard.
J'aime les têtes de cuvée *La Madonne* et *Le Mariage*.

Domaine de Fontedicto
Bernard Bellahsen

Fontarèche - 34720 CAUX - Tél. : +334 67 98 40 22 - Mail : fontedicto@tele2.fr

Appellation Coteaux-du-Languedoc.
Bernard Bellahsen propose des grands vins élevés en douceur. Le travail dans les vignes se fait avec le cheval.

Sylvie et Franck Siméoni

Route de Berlou - 34360 PRADES-SUR-VERNAZOBRE
Tél. : +334 67 93 78 92 - Mail : Simeoni5@aol.com

Deux ans auparavant, ils produisaient des vins puissants avec beaucoup de fûts. À l'heure actuelle, avec leurs vingt hectares, la crise viticole, les Siméoni ont progressé et ont changé de vinification. Vous trouverez dans ce domaine des vins de soif, à boire rapidement, et des vins de garde. Je dois encore redéguster ce domaine. Mais je pense qu'il fera, dans quelques années, partie des incontournables...

Domaine du petit Gimios
Anne marie Lavaysse

34360 ST-JEAN-DE-MINERVOIS - Tél. : +334 67 38 26 10

Appellations : Muscat, Saint-Jean-de-Minervois.
Cette grande dame de la biodynamie propose des vins blancs purs, propres moelleux ou secs.

Domaine Terre des chardons

30127 BELLEGARDE - Tél. : +334 66 70 02 51 - Mail : tdchardons@yahoo.fr

Appellations : vin de table, Clairette de Bellegarde, Costières de Nîmes, vin de pays.
Ce domaine s'étend sur dix hectares de vignes issues de l'agriculture bio-dynamique. La gamme se compose de cinq vins (deux rouges, un blanc sec, un blanc moelleux et un rosé).
Les deux vinificateurs (Julie Balagny et Jérôme Chardon) évoluent d'année en année... Affaire à suivre.

Domaine Jean-Claude Beirieu

15 Grande rue - 11300 ROQUETAILLADETél. : +334 68 31 60 71

Appellations : vin de pays, Blanquette de Limoux.
J'adore son *Mauzac* tranquille, la Blanquette est intéressante.

Domaine Péchigo
Sylvain Saux

Avenue des Pyrénées - 11300 LAURAGUEL - Tél. : +334 68 31 61 68

Appellations : vin de pays , vin de table.

J'adore le Mauzac, ce domaine propose des vins blancs gras vivants. À suivre !...

Domaine de rivaton

26 boulevard Carnot 66720 LATOUR DE FRANCE - Tél. : 06 24 92 49 63 - Mail :v-frivaton@tele2.fr

Un petit nouveau à ne pas perdre de vue...

Domaine Rapatel
Gérard Eyraud

Garons 30128 GARONS - Tél. : +336 80 10 23 13

Appellations : Costières de Nîmes.
L'un des grands de la région ; les vins sont purs, minéraux et ne voient pas le bois.
La cuvée 2005 en blanc est sans ajout de soufre pour l'instant. Une valeur sûre pour de grands moments.

Domaine de la Maurette
Claude Thoreau

11190 SERRES - Tél. : +334 68 69 81 06

Appellation Blanquette de Limoux.
Avec ses dix hectares de vignes à trois cents mètres d'altitude, le *Mauzac* (cépage autochtone) est à la base des *Blanquettes de Limoux* ancestrales (sans ajout de levures ou prises de mousses naturelles). S'il y avait un classement dans les domaines qui proposent les vins pétillants naturels (sans ajout de levures), il serait dans les trois premiers.

Vins pétillants

Le domaine de la Maurette propose des **Blanquettes de Limoux** ancestrales brut pour apéritif, demi-sec pour une tarte aux pommes, et des ancestrales moelleuses pour une soirée intime ou pour accompagner le foie gras. La délicatesse des bulles est la marque d'une vinification sans ajout de levures sélectionnées de laboratoire.

Vins Blancs

Le Languedoc est plus une terre de vins rouges. Mais il existe quelques terroirs de grands vins blancs.

Le **Limoux** est un vignoble à vin blanc. J'ai une préférence pour le cépage **Mauzac** qui donne plus de complexité que le cépage **Chardonnay.** Les vins de pays de l'Aude à base de Mauzac accompagneront de grosses huîtres ou des gambas au curry. L'AOC Limoux blanc en Chardonnay serait mieux sur un poisson cuit meunière tout simplement.

Le vin blanc de table de Sylvain Saux a un nez aux arômes d'épices et de fruits très mûrs. Il est un peu oxydé pour certains dégustateurs. Sa puissance de bouche peut accompagner de la viande blanche en sauce épicée ou de grosses gambas sauce curry.

Du côté de Nîmes

Les vins blancs du domaine de la Tour sont des vins de soif pour un apéritif durant un été chaud. Dans un autre registre, le domaine Eyraud propose depuis 1993 cinq millésimes de vin blanc. Le **Costières de Nîmes** blanc 2005 est sans ajout de soufre, son milieu puissant avec une belle finale minérale et épicée accompagnera très bien une bouillabaisse.

La **Clairette de Bellegarde**, de Terre des Chardons, répondra à un poisson cuit meunière.

Saint-Jean-de-Minervois

Les **Muscat** du domaine de Anne-Marie Lavaysse sont délicats purs et demi-sec sou moelleux. Ils pourront être servis à l'apéritif, accompagner un foie gras ou un dessert à base de poires, selon les cuvées.

Les vins Rosés

Ils sont généralement de repas avec des arômes d'épices comme le **vin de campagne** de André Bourguet. Idéals pour une viande grillée, un met épicé (cuisine asiatique par exemple).

Les vins rouges

Le **Merlot** et le **Cabernet** ont remplacé des cépages autochtones tels que le **Carignan, Cinsaut, Aramon**. Dans la viticulture biologique, vous trouverez ces cépages récoltés avec une maturité hors normes. L'attaque sera toujours onctueuse et les tanins seront fins et ne déséquilibreront pas la bouche.

■ Les vins rouges semi-étoffés : le domaine Siméoni élabore une gamme de vins de table tendres et gourmands. Le vin de campagne d'André Bourguet ne videra pas votre bourse. Ces vins de caractère aux tanins durs mais fins, servis à une température de 15° vous donneront fraîcheur et plaisir en accompagnement d'une viande grillée.

■ Les vins rouges puissants : ils représentent 90% des vins du Languedoc. La puissance sera présente dans le milieu de bouche et non dans l'astringence des tanins. Ils pourront agrémenter une côte de bœuf, un veau marengo comme Les **Costières-de-Nîmes** de Rapatel, Terre de chardon, le **Cabardès** du domaine de Loupia, **Rudelles** de André Bourguet. Mais si vous les laissez en garde quelques années, vous pourrez servir du gibier (exemple : la cuvée le **Mariage** du domaine Gressac, les **Coteaux-du-Languedoc** de Fontedicto).

Vin de liqueur

La **Cartagène** est vin de liqueur. En effet, la fermentation a été interrompue par ajout d'alcool. Cela augmente le degré alcoolique et le vin devient moelleux.

■ Cartagène domaine de la Maurette : à base de raisin blanc, cette Cartagène est joviale avec un nez de fruits blancs. Je vous la conseille en apéritif.

■ Cartagène domaine Zaparel : plus proche d'un moelleux, son acidité donne un bel équilibre, à servir avec un gâteau au chocolat.

■ Cartagène domaine André Bourguet : ce vin est plus liquoreux, ses arômes de chocolat et cerise seront parfaits avec une forêt noire.

Corse

Pierre Richarme
Domaine Pero Longo

Lieu-dit Navara - 20100 SARTÈNE - Tél. : +334 95 77 10 74 / Fax : +334 95 77 10 74
Mail : perolongo@aol.com

Produits : vin de Corse AOC Sartène.
Un très grand vin blanc, un rouge 2003 avec une bonne maturité phénolique. C'est un domaine qui promet ! (Je n'ai pas eu la confirmation d'une vinification en levures indigènes).

Antoine Aréna

20253 PATRIMONIO - Tél. : +334 95 37 08 27

De grands *Muscat*. En attente de certification bio.

 Le **Muscat** d'Antoine Aréna accompagne parfaitement le foie gras ou un dessert de fruits. La puissance du blanc de Richarme devra être opposée à de la volaille épicée. Le vin rouge étoffé vous régalera sur du gibier.

Sud-Ouest

Château Richard
Richard Draugthy

La croix blanche - 24240 MONESTIER - Tél. : +335 53 58 49 13

Appellations : Bergerac, Saussignac.
C'est à mon avis le plus grand vigneron du Bergerac... mais totalement incompris des journalistes. Ces vins sont équilibrés, concentrés et très personnalisés.
Le *Saussignac* (vin liquoreux) est une gourmandise, la cuvée osée est sa cuvée haut de gamme rouge sans ajout de soufre. Un domaine incontournable.

Château Vent d'Autan
Anne Godin

Moustans Haut - 46800 SAINT-MATRÉ - Tél. : +335 65 31 96 75 - Site : www.cahorsaoc.com

Appellations : vin de table, Coteau de Quercy, Cahors.
Domaine incontournable du Sud-Ouest.
Je suis fou du *Coteau-du-Quercy 2000* ; maturité phénolique hors normes

VIN DE BOURGOGNE

2004

Bourgogne

APPELLATION CONTRÔLÉE

MIS EN BOUTEILLE À LA PROPRIÉTÉ PAR
12,5%vol.   **JANE ET SYLVAIN**   750 ml
PROPRIÉTAIRES RÉCOLTANTS À GEVREY-CHAMBERTIN
(CÔTE D'OR) FRANCE

L'Erèbe

Mis en bouteille au Domaine des Maisons Brulées par
Bonneau et Michel Auge F4320 POUILLE - Tél/Fax : 02 54 71 11 32

VIN DE TABLE FRANÇAIS

"La nuit aux ailes noires
déposa un œuf né du vent,
dans le sein du ombre,
et profond Erèbe."
Aristophane

Certifié Ecocert s.a.s. F.32600   Stocker à une température inférieure à 14°C

ROSÉ MOELLEUX

"MMV"

Cuvée

Don Quichotte

Vin non levuré, non chaptalisé

Mis en bouteille par
O. et E. Van Ettinger, Vignerons à F49134

12% Vol.   75 cl

Vin issu de raisin de l'Agriculture Biologique - Certifié ECOCERT SAS F.32600

Philippe et Françoise GOURDON
EARL GOURDON - PELTIER
F-49260   LE PUY-NOTRE-DAME

Appellation

CHATEAU TOUR GRISE

Saumur

253

Contrôlée

250 ml   Produit de France, Vin   12,5% Alc/vol.
Produce of France, Wine
MIS EN BOUTEILLE À LA PROPRIÉTÉ

Philippe et Françoise GOURDON
EARL GOURDON - PELTIER
F-49260   LE PUY-NOTRE-DAME

Appellation

CHATEAU TOUR GRISE

Saumur

Contrôlée

Contains Sulfites
250 ml   Product of France, White Wine   10% Alc/Vol.
MIS EN BOUTEILLE À LA PROPRIÉTÉ

Domaine de la Charmeresse

Les Grouettes

MMVI

Cette cuvée est un assemblage de chenins de schistes pourpres
Le millésime 2006 exhale des arômes toniques de fruits blancs
sur une bouche bien équilibrée.

Suggestions d'accompagnement : terrines de poissons, entrées (à base de
chèvre, miel), charcuteries, poissons (pavé de saumon, truite). Servir à 8° - 10°C

Mis en bouteille au Domaine
Vin non levuré, non chaptalisé

Vin de table de France

O. et E. Van Ettinger, Vignerons à Faye d'Anjou - Maine-et-Loire
14% Vol.   Tél/Fax : 02 41 78 41 14 - Produit de France   75 cl

Vin issu de raisin de l'Agriculture Biologique - Certifié ECOCERT SAS F.32600

Domaine de la Charmeresse

Le Pin Perdu

MMV

issu de rendement de 35 hl/ha, "Le Pin Perdu"
est né sur des sables graveleux. Ce pur cabernet
sauvignon de 30 ans offre sur le millésime 2005
des arômes denses de fruits sur des tanins soyeux.

Mis en bouteille au Domaine
Vin non levuré, non chaptalisé

Suggestions d'accompagnement : poulet grillé, lapin (en gibelote),
bœuf (steak au poivre), fromage à pâte pressée (St Nectaire).

Vin de table de France

O. et E. Van Ettinger, Vignerons à Faye d'Anjou - Maine-et-Loire
12% Vol.   Tél/Fax : 02 41 78 41 14 - Produit de France   75 cl

Vin issu de raisin de l'Agriculture Biologique - Certifié ECOCERT SAS F.32600

Domaine de la Charmeresse

Le Pin Perdu

MMV

issu de rendement de 35 hl/ha, "Le Pin Perdu"
est né sur des sables graveleux. Ce pur cabernet
sauvignon de 30 ans offre sur le millésime 2005
des arômes denses de fruits sur des tanins soyeux.

Mis en bouteille au Domaine
Vin non levuré, non chaptalisé

Suggestions d'accompagnement : poulet grillé, lapin (en gibelote),
bœuf (steak au poivre), fromage à pâte pressée (St Nectaire).

Vin de table de France

O. et E. Van Ettinger, Vignerons à Faye d'Anjou - Maine-et-Loire
12% Vol.   Tél/Fax : 02 41 78 41 14 - Produit de France   75 cl

Vin issu de raisin de l'Agriculture Biologique - Certifié ECOCERT SAS F.32600

et une longue minéralité en retour. Le Mauzac vendange tardive, en vin de table est une gourmandise. Le *Côt-du-Cahors* n'est pas en pleine forme. Anne Godin le fait remplacer petit à petit. Il faudra une bonne dizaine d'années afin que les *Cahors* soient au niveau des *Coteaux-du-Quercy*.

Château Laroque
Jacques et Élisabeth La Bardonnie

24230 SAINT-ANTOINE DE BREUILH - Tél. : +335 53 24 81 43

Appellations : Montravel sec et moelleux, Côtes de Bergerac.
Les vins blancs moelleux sont peut-être les plus beaux de France. Les vins rouges sont un peu rustiques... Un bon domaine.

Domaines de cant'Alauze Gaillac
Guy et Brigitte Laurent

Domaine de Cantalauze - 81140 CAHUZAC SUR VÈRE - Tél. : +335 63 56 07 97

Appellation vin de table de Gaillac.
Depuis quelques années, ils sont en appellation vin de table, de très bon rapport qualité/prix.

Domaine des Cailloutis
Bernard Fabre

81140 ANDILLAC - Tél.: +335 63 33 97 63

Appellation Gaillac. C'est un domaine à surveiller...

Domaine de la Troncque
Claude Leduc

81140 CASTELNAU DE MONTMIRAIL - Tél. : +335 63 33 18 87 - Mail : Leduc.Claude@wanadoo.fr

Domaine plus que correct... Des vins purs. Il manque peut-être un peu de magie...

Clos Siguier
Gilles Bley

Bagat 46800 MONTCUQ - Tél. : +335 65 36 91 05 / Fax : +335 65 36 95 45

Appellation Cahors.
Les désherbants ne seraient pas utilisés et la vinification effectuée en levures indigènes. Bon rapport qualité/prix.

Domaine de la Ramaye
Michel Issaly

Sainte Cécile d'Avés 81600 GAILLAC - Tél. : +335 63 57 06 64 / Fax : +335 63 57 35 34

Appellation Gaillac.
Sur cinq hectares, la moitié est travaillée au cheval et le reste désherbé légèrement (désherbants foliaires). Les vins sont de mieux en mieux... À quand la traversée du Rubicon ? (Voir « Éclairages pros »).

Comme pour son cousin du Languedoc, le Sud-Ouest propose davantage de terroir de vins rouges que de vins blancs. Toutefois, cette région élabore des vins blancs moelleux et des liquoreux de qualité comme le **Gaillac moelleux** (domaine de la Ramaye), le **Saussignac liquoreux** (Château Richard), le **Montravel moelleux** (domaine Château Laroque). Ils accompagneront foie gras, tarte à l'abricot...

Les **Gaillac blancs secs** sont gourmands et idéals avec un saumon fumé ou une salade à base de poisson (ex. : domaine de la Troncque), les **Bergeracs blancs** du Château Richard sont plus étoffés et se marient très bien avec un poisson meunière.

Dans cette région, Il y a plus de vins rouges semi-étoffés que de vins puissants. Ils pourront accompagner agneau, pigeon (Gaillac domaine de la Troncque, Gaillac domaine des Cailloutis, **Côtes-de-Bergerac** Château Richard, les **Cahors** cités ci-dessus).

Généralement, dans les livres d'œnologie, on décrit le Cahors comme un vin tannique. Les cahors dont nous venons de parler sont minéraux, mentholés, fins avec une dureté mais très légère. Est-ce le terroir ou la maturité phénolique des raisins qui les différencient des autres Cahors ? Honnêtement je ne sais pas.

Dans cette région, les vins puissants et longs en bouche que j'ai pu découvrir sont le **Gaillac combes d'Aves** 2003 du domaine de la Ramaye, le **Coteau-du-Quercy** 2000 Château Vent d'Autan, **Bergerac cuvée osée** 2000 Château Richard. Ils accompagneront très bien gibier et côtes de bœuf.

N'oublions pas les pétillants ancestraux de cant'Alauze. Ces demi-secs sur une tarte aux pommes charmeront vos sens.

Bordeaux

Grâce aux vignerons présentés ci-après, je peux reboire des vins de Bordeaux... et vous ?

Château la Grave
Paul Barre

33126 FRONSAC - Tél. : +335 57 51 31 11

Appellations : Fronsac, Canon-Fronsac.
Beau domaine en biodynamie, j'aime surtout *La Grave* et *Fleur Cailleau*, après c'est une question de goût du bois.
C'est propre, c'est minéral, c'est pur et c'est digeste...

La vrille têtue
Jean-Jo Brando Mondion

50 avenue Stephen Couperie - 33440 SAINT-VINCENT-DE-PAUL
Tél. : +335 56 77 15 86 - Port. : +336 07 69 14 48

Appellation Bordeaux supérieur.
Les vins sont minéraux, droits, sans casse-tête... Excellent domaine avec un bon rapport qualité/prix.

Château Barrail-Haut
Olivier Raynal

33490 SAINT-PIERRE-D'AURILLAC - Tél. : +335 56 63 03 09

Domaine correct qui donne des vins AOC « Bordeaux » riches... Il faut goûter le blanc 2005 *Grain de folie*.

Château du Puy Bordeaux Côtes-de-Francs
Jean-Pierre et Pascal Amoreau

33570 SAINT-CIBARD - Tél. : +335 57 40 61 82
Mail : amoreau@chateau-le-puy.com - Site : www.chateau-le-puy.com

Appellations : Côtes-de-Francs, vin de table.
J'aime Marie-Cécile (blanc) et la *cuvée Barthélemy* 2004 qui au bout de deux jours est sublime de minéralité et de finesse.

Annick et Claudy Juet

15 Les Allains - 33820 BRAUD-SAINT-LOUIS - Tél. : +335 57 32 77 33

Appellations Côtes-de-Blaye.
Des vins minéraux, francs... Domaine correct. Bons rapports qualité/prix.

Château Gombaude-Guillot
Clos Plince - Claire Laval

4 les grandes vignes - 33500 POMEROL
Tél. : +335 57 51 17 40

Appellation Pomerol.
Des *Pomerol* élégants aux tanins fins sans déséquilibre. De superbes vins que l'on doit boire après quelques années de garde.

Château Falfas

John Cochran - 33710 BAYON

Appellation Côtes-de-Bourg.
Des Bordeaux honnêtes de belle constitution...

Domaine du Rousset Peyraguey
Alain Dejean

8 Lieu-dit Arrançon 33210 PREIGNAC - Tél. : +335 56 63 49 43 / Fax : +335 57 31 08 33
Mail : rousset.peyraguey@wanadoo.fr

Appellation Sauternes.
Monsieur Dejean propose des *Sauternes* de couleur ambrée, purs, avec peu de soufre et des arômes de noix. À mon avis ce domaine propose les plus grands *Sauternes*, pour certains journalistes ils sont oxydés.

Château La Tour Figeac

BP 007 33330 SAINT-ÉMILION - Tel. : +335 57 51 77 62 / Fax : +335 57 25 36 92
Mail : Info@La-Tour-Figeac.com

Appellation Saint-Émilion.
Lors d'une dégustation de « grands vins » du Médoc et du Libournais (*Saint-Émilion* et *Pomerol*), il était le seul domaine dont les vins délivraient une attaque onctueuse avec une minéralité présente. Un grand domaine.

Château Thuron

33190 PONDURAT - Tél. : +335 56 71 23 92

Appellation Bordeaux supérieur.
Château Thuron propose des vins riches, amples et chaleureux sans dopage. La terre est labourée sans excès de produits chimiques et la vinification se fait en levures indigènes.
Les attaques de bouche sont onctueuses et la finale tannique sans déséquilibre.

Château d'Ardennes et Mirebeau
Cyril Dubrey

Illats 33720 PODENSAC - Tél. : +335 56 62 53 80 / Fax : +335 56 62 43 67

Un domaine qui s'efforce de produire des vins de terroir. Le jeune proprié-taire a pratiqué la biodynamie sur le Château Mirebeau. Le résultat donne une autre dimension au vin. À quand la certification bio ?

Un jour Jean-Marc Carité m'a dit que je détestais le vin de Bordeaux. Je n'aime pas le style stéréotypé des vins à base de cépages Merlot et Cabernet-Sauvi-gnon. J'aime les vins issus de raisins mûrs et très minéraux.

Au restaurant « la Méditerranée », des commerciaux et œnologues bordelais ont dégusté à l'aveugle le Château Mirebeau Pessac-Léognan de Cyril Dubrey, résultat des courses : Sud-Ouest ou Languedoc.

Vous serez certainement surpris par les domaines cités ci-dessus.

Vins liquoreux
Le **Sauternes** (vin issu de vendanges botrytisées) accompagne traditionnellement un foie gras et pourquoi pas un dessert au citron ou à l'abricot.

Vin blanc sec
Grain de folie (vin de table du Château Barrail Haut) est semi-étoffé légèrement onctueux avec beaucoup de fruits et des épices. Une entrée salade-poisson-agru-mes ou du tarama seraient les bienvenus.

Le **Grave blanc Ardenne** (qui ne possède pas le côté boisé comme la plupart) est droit, minéral. Il serait mieux sur de grosses huîtres ou du poisson meunière.

Les vins rouges
Les semi-étoffés : les plus tendres sont les **Côtes-de-Blaye** du Château la Minauderie et les **Bordeaux supérieur** de la vrille têtue ; ils accompagneront très bien les viandes grillées.

Les Châteaux **Mirebeau** et **Falfas** sont plus étoffés sans être pour autant des mas-ses de puissance. Ils accommoderont bien un veau marengo ou un fromage à croû-te fleurie pas trop fait (camembert ou brie).

Le Château **Combaude-Guillot** et les **Fronsac** de Paul-Barre seront plus à l'aise avec une côte de bœuf et une estouffade de bœuf.

Loire

Marie-Joseph et Thierry Michon
E.A.R.L. Saint Nicolas

11, rue des Vallées 85470 BREM-SUR-MER - Tél. : +332 5133 13 04 / Fax : +332 51 33 18 42
Mail : contact@domainesaintnicolas.com

Produits : VDQS fiefs vendéens. Des VDQS qui ressemblent à de très bons AOC...
Leur vin blanc *Soleil de Chine*, gras, épicé, peut accompagner un plat de poisson épicé. Ils ont deux types de vins rouges : un 100% *Gamay* : friand aux tanins souples qui peut accompagner la charcuterie. Des vins aux tanins durs mais fins : exemple un 100% *Pinot noir* ou 100% *Cabernet-Sauvignon*. Ils peuvent être servis en accompagnement d'une estoufade de bœuf bourguignon ou d'un veau marengo.
Muscadet : c'est une appellation mal-aimée du grand public... Mais avec un travail précis dans les vignes, ce genre de vin peut vous réconcilier avec cette appellation. Je vous conseille de le carafer et de le servir à l'aveugle, vous en surprendrez plus d'un !

Domaine de l'écu
Guy Bossard

La Bretonnière 44430 LE LANDREAU - Tél. : +332 40 06 40 91
Mail : bossard.guy.muscadet@wanadoo.fr

Appellations : Muscadet Sèvre et Maine sur lie.
Ce domaine en biodynamie propose des vins tendres. Le travail s'effectue avec la complicité du cheval.

Domaine de la Paonnerie
Jacques Carroget

44150 ANETZ - Tél. : +332 40 96 23 43 - Mail : carojvin@aol.com

Appellations : Muscadet, Coteaux de la Loire, Coteaux d'Ancenis, Anjou.
Ce domaine immanquable prend sa magie dans son *Anjou* blanc, rouge, et son *Muscade*t... Sans oublier le *Coteau d'Ancenis* rouge et rosé.
Attention, grand rapport qualité/prix !

Domaine Landron
Jo Landron

Les Brandières 44690 LA HAYE FOUASSIERE

Appellations : Muscadet Sèvre et Maine sur lie.
Ce domaine est la preuve que l'agriculture biologique fait progresser le vigneron. Ces vins blancs sont très puissants. Il faut les carafer. *Monolix* est la cuvée sans ajout de soufre, elle a été très bien notée lors de la dégustation à l'aveugle des vins sans ajout de soufre en mai 2006.

 Il existe quatorze terroirs différents dans le Muscadet, donc autant de types de Muscadets.

Les **Coteaux de Loire** de la Paonnerie sont issus de terroir tendre au bord de la loire. Ces vins semi-étoffés, droits et friands accompagneront huîtres, rillettes de poissons, salade de poisson.

Les **Muscadets** du domaine de l'écu semi-étoffés semi-longs seront agréables avec un poisson meunière. Le domaine Landron propose plusieurs terroirs dont l'**Amphibolite** et le **Fief du Breuil**. Le premier est de terroir tendre et accompagnera huîtres, rillettes de poisson et salade de poisson. Le second est plus profond. Les vins devront être bus au bout de quelques années de garde en bouteilles. Ces vins sont puissants, gras et accompagneront des poissons cuits en sauce.

Remarque : Les **Coteaux d'Ancenis** du domaine de la Paonnerie (VDQS entre Nantes et Ancenis) peuvent être rosés (friands, droits, à boire sur des entrées froides à base de poissons ou en apéritif), et surtout rouges à base de Gamay aux tanins souples. Ils peuvent accompagner rôti de porc froid ou viandes grillées.

Anjou

Grâce aux sérieux de certains vignerons, l'appellation Anjou blanc a considérablement progressé.

Olivier Cousin

17 rue Auguste Fonteneau 49540 MARTIGNE BRIAND
Tél. : +332 41 59 49 09 / Fax : +332 41 59 69 83 - Mail : ocousinvin@wanadoo.fr

Appellations : Anjou blanc et rouge, Saumur Pétillant.
Un vigneron travaillant au cheval et adepte de la biodynamie. Un domaine magnifique... Mon préféré : le *Saumur pétillant*, mais le *Gamay primeur* est une gourmandise de caractère.

Mark Angéli

Domaine de la Sansonnière 49380 THOUARCE - Tél. : +332 41 54 08 08

Le maître à tous, l'étincelant par excellence, la pureté proprement dite... Pour les inconditionnels « *je veux du rouge car le rosé et le blanc me donnent la migraine* », s'ils n'ont pas d'œillères, ils se réconcilieront avec ces couleurs. Un de mes amis m'a dit qu'à l'aveugle au verre noir, on pourrait prendre le rosé pour un vin blanc.

Francis Poirel

Château Suronde - 49190 ROCHEFORT-SUR-LOIRE
Tél. : +332 41 78 66 37 / Fax : +332 41 78 68 90

Appellations : vin de table, Quart de Chaume.
Ce domaine propose peut-être les plus grands vins moelleux de France souvent incompris des journalistes.

Domaine Les Charbotières

49320 BRISSAC - Tél. : +332 41 91 22 87 - Mail : contact@domaine des charbotières.com

Appellations : Coteaux-du-Layon, Anjou.
Ce domaine est peu connu du grand public. Les moelleux sont gourmands, et j'ai dégusté à Noël 2006 un Anjou rouge Brissac 1997 magnifique. À découvrir de toute urgence.

Domaine des Sablonnettes
Joël Mesnard

L'espérance - 49750 RABLAY-SUR-LAYON
Tél. : +332 4178 40 49 - Mail : domainesdessablonnettes@wanadoo.fr

Appellations : Coteaux-du-Layon, Anjou.
Ce domaine est constant... De bons rapports qualité/prix...

Domaine de la Charmeresse
Olivier Van Ettinger

Bas mont - 49380 FAYE D'ANJOU - Tél. : +332 41 78 41 14

Appellations : vin de table, Anjou, Coteaux-du-Layon.
Une gamme de huit vins sur quelques hectares de vignes issues de l'agriculture biologique avec des préparations en biodynamie. Les vins sont originaux, propres et minéraux, avec beaucoup de personnalité. Mes coups de cœur sont *Odes à la vie* (Sauvignon moelleux passerillé) et Les *Ouissingouins* (Chenin sec). Grand domaine.

Jo Pithon

Les Bergères - 49750 SAINT-LAMBERT-DU-LATTAY
Tél. : +332 41 78 40 91 - Mail : jopithon@jopithon.com

Appellations : Anjou blanc, Savennières, Chaume, Quart de Chaume.

Domaine des Griottes

Layon 49750 SAINT-LAMBERT-DU-LATTAY - Tél. : +332 41 78 46 11

Appellations : vin de table, Anjou, Coteaux-du-Layon.
Des vins purs sans ajout de soufre, j'adore *Moussaillon*, leur pétillant.

René Mosse

4 rue de la Chauvière - 49750 SAINT-LAMBERT-DU-LATTAY - Tél. : +332 41 66 52 88

Appellations : Anjou et Coteaux-du-Layon.
René est connu pour ses *Anjou rouges*...Bon domaine.

Patrick Baudoin

Princé - 49290 CHAUDEFONDS-SUR-LAYON - Tél. : +332 41 78 66 04

Des vins rouges qui ne me correspondent pas, mais que dire de la pureté des vins blancs aussi bien secs que moelleux !

 Les **Anjou blancs** secs sont gras, amples avec une finale ronde : salade de volaille, bouchée à la reine avec une sauce à base de crème fraîche, ou pour certains plus épicés un plat à base de curry.
Les **Anjou rouges** à base de Cabernet franc et Sauvignon donnent des vins de caractères : viande rouge, veau marengo pour les plus puissants, volaille sauce vin rouge pour les plus fins.
Les **Coteaux-du-Layon** : foie gras dessert à base de poire.

Saumur

Domaine de la Tour grise
Philippe Gourdon

1 rue des Ducs d'Aquitaine - 49260 PUY-NOTRE-DAME - Tél. : +332 41 38 82 42

Appellations : Saumur, Cabernet d'Anjou, Coteaux-du-Loir.
Philippe Gourdon propose les meilleurs (à mon avis) 2003 de toute l'appellation Saumur et Champigny. Selon Michel Augé – vigneron en biodynamie, ami de Philippe Gourdon –, « *le jour où Philippe passera le cap de la vinification sans ajout de soufre, il sera le plus grand de la région* ».

Pas Saint-Martin
Gaec Charrier-Massoteau

52 rue Victor Journeau - 49700 DOUÉ-LA-FONTAINE - Tél. : +332 41 59 14 35

Appellation Saumur. Ce jeune vigneron est à suivre.

Chinon, Bourgueil

Étienne et Pascale Bonnaventure

37420 BEAUMONT-EN-VÉRON
Tél. : +332 47 98 44 51 - Mail : chateaudecoulaine@club-internet.fr

Appellation Chinon.
Ce domaine propose des vins de caractère que je devrai ultérieurement redéguster pour les juger au mieux.

Domaine de la Bonnelière
Marc Plouzeau

54 faubourg Saint-Jacques - 37500 CHINON - Tél. : +332 47 93 16 34 - Site : www.plouzeau.com

Appellations : Chinon, Touraine.
Les vins sont de garde, il sont plus agréables lorsque vous les carafez.

Stéphane Guion

3 route de saint-Gilles - 37140 BENAIS
Tél. : +332 47 97 30 75 - Mail : stephane.guion@terre.net

Appellation Bourgueil.
Depuis le changement de vinification, les vins sont moins durs. Alors encourageons Stéphane dans son travail. Pour amateurs de vins tanniques...

Clos de l'abbaye

Avenue Lejouteux 37140 BOURGUEIL
Tél. : +332 47 97 76 30 - Mail : closdelabbaye@wanadoo.fr

Appellation Bourgueil.
Ce domaine propose des vins sans déséquilibre tannique avec une belle personnalité.

Catherine et Pierre Breton

8 Rue Peu Muleau - 37140 RESTIGNÉ - Tél. : +332 47 97 30 41

Appellations : Chinon, Bourgueil.
Des vins à la hauteur de leurs appellations grâce au travail des propriétaires.

Domaine du mortier
Sarl Maison Boisard et fils

Fabien et Cyril Boisard - 37140 SAINT NICOLAS DE BOURGUEIL
Tél. : +332 47 97 94 68 - Port. : +336 71 62 37 38 - Site : www.boisard-fils.com

Des jeunes vignerons talentueux proposent des Saint-Nicolas de Bourgueil de différents terroirs.

Avec les vins les plus gourmands comme **Trinch** de Breton ou le **Bourgueil** de terroir de sable de Boisard, je conseille cochonnailles ou grillades.

Les plus puissants comme les **Chinon** de Bonaventure ou les **Bourgueil** du clos de l'Abbaye seront très bien sur de la viande en sauce.

Vouvray et Montlouis

Domaine la Mabilière
Philippe Mabille

16 rue Anatole France - 37210 VERNOU-SUR-BRENNE - Tél. : +332 47 52 10 03

Appellation Vouvray moelleux et demi-sec.
J'ai dégusté l'année dernière un grand 2005 moelleux, c'était fantastique. Quelle différence depuis qu'il est en bio !

François Chidaine

5 la grande rue - 37270 MONTLOUIS-SUR-LOIRE - Tél. : +332 47 45 10 20

Appellation Montlouis.
Les vins sont purs, propres et sont une belle expression du *Chenin*.

Entre Château du Loir et Vendôme

Jean-Pierre Robinot

Le présidial - 72340 CHAHAIGNES - Tél. : +332 43 44 92 20

Appellations : Jasnières, vin de table, Vouvray.
Jean-Pierre était restaurateur à Paris... Dégustateur de vin, spécialiste des vins naturels, il a acheté ce vignoble il y a quelques années et élabore des vins purs et propres. Mon préféré est la cuvée en rouge Le regard du Loir, sans ajout de soufre.

Domaine de Montrieux
Emile Hérédia

43 rue de Montrieux 41100 NAVEIL - Tél. : +332 54 77 75 40 - Mail : domaine.montrieux@télé2.fr

Appellation Coteaux Vendomois.
Les vins sont agréables, friands... J'adore *Boisson rouge*, un vin pétillant rouge.

Le Briseau
Nathalie Gaubicher et Christian

Les Nérons - 72340 MARÇON - Tél. : +332 43 44 58 53

Ils sont appellation vin de table, culture bio et vinification en levures indigènes. Le vignoble se trouve dans les Coteaux de Loir au nord de Tours.
Des vins en dentelle, de caractère... un domaine obligatoire ! J'ai adoré *Verre* d'été, un rosé couleur grenadine avec du gaz carbonique.

> Vous trouverez dans ces trois domaines des vins pétillants naturels (sans ajout de levures). En ouverture de repas, ils ne seront pas agressifs, les bulles seront très fines. Je vous conseille ceux du domaine du Briseau. Les vins blancs de Monsieur Robinot sont puissants : ils accompagneront les poissons en sauce et pourquoi pas une volaille. Les vins rouges sont gourmands avec des tanins très fins : charcuterie, viandes grillées et des rognons pour le Pineau d'Aunis de Robinot.

Touraine

Château du Perron
François Blanchard

37120 LÉMERÉ - Tél. : +332 47 95 75 26 - Site : www.françois-blanchard.com

Appellations : vin de table, Touraine.
Un jeune vigneron qui promet ! J'ai dégusté un vin de table blanc pétillant 2005 : grandissime !

François Plouzeau

La Garrelière 37120 RAZINES - Tél. : +332 47 95 62 84 - Port. : +336 20 37 40 66

Appellation Touraine.
Un domaine qui ne fait pas de bruit... Les vins sont agréables, élégants, de bons rapports qualité/prix.

Clos des Roches Blanches

19 rue de Montrichard - 41110 MAREUIL-SUR-CHER - Tél. : +332 54 75 17 03

Appellation Touraine.
Didier Barouillet propose des vins de Touraine près de Saint-Aignan sur Cher. Les vins sont de bonne facture et leurs prix abordables.

Domaine de Bel Air
Joël Courteau

41140 THÉSÉE - Tél. : +332 54 71 46 21

Joël Courteau, vigneron de Touraine attaché à la cave de Oisly, commence petit à petit à voler de ses propres ailes. Il vinifie lui-même, avec les conseils de Michel Augé et Pascal Potter, les 20% de raisins qui lui restent. Le résultat est de bonne envergure. Ce domaine est une découverte ! À suivre...

Domaine des Bois Lucas

29 Rue du Chêne Gauthier - 41110 POUILLÉ
Tél. : +332 54 75 59 59 - Mail : sarlodeur@aol.com

J'ai dégusté les vins en fûts, c'était pas mal. Il ne me reste plus qu'à les déguster en bouteilles.

Pascal Potaire

8 Rue des Aiguillons 41110 MAREUIL-SUR-CHER
Tél. : +332 54 75 39 92 / Fax : +332 54 75 35 24

J'ai dégusté un pétillant à base de Chardonnay : une superbe limonade ! Un bon domaine certifié agriculture biologique depuis 2006.

Les Maisons brûlées
Michel et Béatrice Augé

41110 POUILLÉ - Tél. : +332 54 71 51 57 - Mail : auge-michel-beatrice@wanadoo.fr

Appellation vin de table.
Des rendements inférieurs à trente hectolitres à l'hectare. Depuis 1996,

Michel Augé travaille en agriculture biodynamique (certifiée Demeter). il produit seul ses vins à côté de Saint-Aignan-sur-Cher, près de Blois. Ce sont des vins concentrés et veloutés, sans ajout de soufre, incomparables aux productions classiques de la région. C'est pourquoi, il est en vin de table, mais lorsque nous savons qu'un vin de table n'a pas le droit d'être chaptalisé...

Les Cailloux du Paradis
Claude Courtois

41120 SOING-EN-SOLOGNE - Tél. : +332 54 98 71 97

Claude est le détonateur de ma passion pour les vins spirituels et le catalyseur de ma base de dégustation. Les vins rouges sont sans ajout de soufre.

Julien Courtois
Pour toute précision : Jean-Frédéric Courtois

41120 SOING-EN-SOLOGNE - Port. : +336 62 24 09 10

Tel père tel fils, les vins de Julien sont peut-être plus élégants. Pas de certification jusqu'à présent pour ce jeune vigneron (budget oblige), mais les méthodes de viticulture et de vinification sont incontestablement biologiques.

Une région riche de bons vignerons qui bougent... Claude Courtois, Michel Augé en sont les déclencheurs. Je vous conseille le salon (les vins du coin), début décembre qui aura lieu à Thésée pour l'année 2007.

Vins blancs

Deux styles de vins blancs :

■ Les « traditionnels » comme ceux des Clos-des-Roches-Blanches, tendres, agréables, semi-étoffés, seront adéquats pour des terrines de poissons et poissons grillés.

■ Les « spirituels » : **Plume d'ange** de Claude Courtois, **Suavignon** de Michel et Béatrice Augé, **Esquiss** de Julien Courtois. Le premier accompagnera des poissons nobles (lotte, turbot, bar sauvage), les deux derniers, plus puissants, aux arômes épicés, seront plus heureux sur de la viande blanche en sauce épicée.

> **Vins rouges**
> Pour les vins rouges, les trois catégories sont présentes :
> ■ Les gourmands comme **Nacarat** de Claude Courtois, les **Touraine Gamay** de Clos-des-roches-blanches : avec charcuteries et grillades.
> ■ Les semi-étoffés comme **Herdeleau** de Michel Augé, **Les Étourneaux** de Claude Courtois : très bien avec volaille sauce vin rouge, pigeon.
> ■ Les étoffés comme **Érèbe** de Michel Augé, **Racine** de Claude Courtois : avec gibier, côtes de bœuf.

Cheverny

Philippe Teissier

3 voie de la rue Colin 41700 CHEVERNY - Tél. : +332 54 44 23 82 - Port. : +336 62 52 87 99
Mail : domaine.ph.tessier@wanadoo.fr

Celui que je préfère à Cheverny, aussi bien en blanc qu'en rouge. Indispensable !...

Clos tue bœuf
Les frères Puzelat

6 route de Seur - 41120 LES MONTILS - Tél. : +332 54 44 05 16 - Mail : thierry.puzelat@wanadoo.fr

Un domaine à la hauteur sa réputation...

Domaine des Veilloux
Michel Quenioux

41120 FOUGÉRE-SUR-BIÉVRE - Tél. : +332 54 20 22 74

Appellation Cheverny.
Des vins droits et francs, c'est un bon domaine.

Hervé Villemade

97 Rue du Moulin Neuf 41120 CELETTES
Tél. : +332 54 70 41 76 - Mail : hervevillemade@wanadoo.fr

Appellation Cheverny.

J'ai dégusté un *Cheverny* rouge 2002 sans ajout de soufre mis en bouteille en janvier 2003, c'était sublime. Cordialement invité au domaine depuis cette dégustation, mon emploi du temps ne m'a pas permis d'y retourner, mais j'y compte bien...

Les **Cheverny blancs**, agréables, secs, gourmands seront appropriés sur des terrines de poissons, poissons fumés. Les **Cheverny rouges** aux tanins souples accompagneront grillades, charcuteries. Le **Cour-Cheverny** blanc à base de Romorantin est plus puissant et épicé : nage de poisson aux épices ou poisson à la crème

Le Sancerrois

Sébastien Riffault

Route de Sancerre 18300 SURY-EN-VAUX
Port. : +336 09 63 48 35 - Mail : sebastien.riffault@tiscali.fr

Des *Sancerre* blancs qui ne sont pas aromatiques, les vins rouges ne sont pas dilués ni vifs. En bref, ce domaine vous dévoilera « l'autre » Sancerre grâce à une vinification très propre et une agriculture saine.

Mes préférences

Au risque de me répéter (si je ne l'ai pas dit cent fois, je ne l'ai jamais dit), je ne suis qu'un éclaireur du goût en matière de vin, mais je suis toujours amusé lorsqu'une personne m'affirme que les goûts et les couleurs ne se discutent pas car précisément, dans une certaine mesure, ça se discute !

Que vous choisissiez une voiture de couleur jaune, par goût, ne pose aucun problème du moment qu'elle possède un bon moteur. En revanche, si ce véhicule, malgré sa jolie couleur, ne possède ni freins ni moteur, c'est ennuyeux... Et dangereux !

Pour ce qui concerne le vin, nous pouvons parler de goût quand, par exemple entre deux grands vignerons – Claude Courtois et les frères Puzelat –, je préfère le premier. C'est seulement dans ce cas, lorsque par affinité l'on incline vers ceci plus que vers cela que l'on parlera de goût et de couleur. Par conséquent, indépendamment des attractions et répulsions qui sont exercées sur nos palais et nos naseaux, la nature sensorielle obéit à des lois que nul ne doit ignorer.

Les vins d'appellations connues
- Pouilly-Fuissé 2003. La cuvée Henry. Nicolas Rousset.
- Corton Charlemagne 2003. Pierre Bourée.
- Chassagne-Montrachet Marquis de Laguiche 2004. Maison Joseph Drouhin.
- Chablis 2004 Les Lys. Maison Albert Bichot.
- Champagne 1991 demi-sec. Jacques Beaufort.
- Beaujolais nouveau 2006. Christian Ducroux.
- Beaujolais nouveau 2005. Bruno Debize.

Les vins originaux
- Suavignon (Blanc sans ajout de soufre). Michel Augé.
- Regard du Loire (Pineau d'Aunis sans ajout de soufre). Jean-Louis Bobinot.
- Esquiss. Julien Courtois.
- Pinot noir vendange tardive de Jean-Pierre Frick

Les bons rapports qualité/prix (moins de 7 €)
- Vin de campagne rouge. André Bourguet.
- Coteaux d'Ancenis. La Paonnerie.
- Bordeaux supérieur. La vrille têtue.
- Domaine de la Tour. Rouge et blanc.

Les vins Blancs pétillants

- Blanquette de Limoux ancestrale. Domaine La Maurette.
- Moussaillon. Domaine des Griottes.
- Saumur. Domaine Olivier Cousin.

Les vins blancs sans fermentation malolactique

- Muscadet. La Paonnerie 2005.
- Muscadet. Le Fief du Breuil 2000. Joseph Landron.
- Riesling grand cru. Valentin Zusselin.

Les vins blancs avec fermentation malolactique

- Anjou les Oussingoins. Domaine de la Charmeresse.
- Anjou La Roche. Domaine des Griottes.

Les vins rouges aux tanins souples

- Herdeleau. Les Maisons brûlées.
- Les Beaujolais de Christian Ducroux.
- Anjou primeur. Olivier Cousin.
- 100% Julien Courtois.

Les vins rouges aux tanins gras

- Coteaux du Quercy 2000. Château Vent d'Autan.
- La Madonne. Domaine de Greyssac.

Les vins rouges aux tanins durs mais fins

- Racine de Claude Courtois.
- Érèbe. Les Maisons brûlées.
- Marsannay 2001. Maison Pierre Bourée.

Les vins blancs moelleux ou liquoreux

- Montravel moelleux. Château Laroque.
- Saussignac. Château Richard.
- Sauternes. Domaine du Rousset Peyraguey.
- Coteau du Layon : le vilain petit canard. Domaine des sablonnettes.

Eclairage

« pro »

Plusieurs professionnels du secteur vinicole ont accepté de répondre à certaines questions. Il nous fournissent ci-après leur point de vue éclairé, chacun selon sa spécialisation. Je me suis prêté au jeu de l'interview, échangeant parfois avec eux quelques arguments et idées...

Claude Bourguignon

Lydia et Claude Bourguignon ont travaillé à l'INRA jusqu'en 1989 puis ils ont quitté cet Institut pour créer leur propre laboratoire d'analyses biologiques des sols agricoles : le LAMS.

« Depuis, nous avons effectué plus de 5000 analyses physiques, chimiques et biologiques de sols à travers le monde dont la majorité en vignes.
Les premiers produits chimiques – le cuivre et le soufre – sont apparus au XIXe siècle, mais les pesticides ne sont arrivés en vigne qu'après la deuxième guerre mondiale. Les sols de vignes représentent 2% de la surface agricole française mais ils reçoivent 30% des pesticides. Les pesticides entraînent une baisse de la biomasse microbienne et faunique des sols. On observe aussi une baisse de la biodiversité des sols en particulier de la flore adventice en raison des herbicides.
La viticulture biologique et biodynamique respectent mieux le patrimoine sol à condition de ne pas abuser du cuivre ».

David Lefèbvre

David Lefèbvre, 40 ans, est journaliste pour la revue « l'Est agricole et viticole ». Oenologue de formation, il a travaillé en Californie et en Nouvelle-Zélande. Actuellement, il est toujours oenologue conseil.

Jean-Charles Botte : La viticulture biologique est-elle importante selon vous?

David Lefèbvre : Elle est la méthode par laquelle on peut obtenir des vins de qualité.
L'agrobiologie est aujourd'hui reconnue pour produire des aliments de qualité. Elle a aussi démontré son efficacité en permettant aux aliments de retrouver de la sapidité, c'est-à-dire une minéralité qui témoigne des échanges entre les racines et la terre.
Une plante peut être perfusée au moyen d'engrais minéraux ou bien elle peut se nourrir en puisant les éléments dans la terre. Au final, le végétal n'est pas constitué de la même manière sur le plan minéral.

JCB : Que pensez-vous de la vinification en levures indigènes ?

DL : C'est important mais ce n'est pas une nécessité absolue. Intuitivement on peut penser que plus il y a de souches de levures différentes qui fermentent, plus la diversité aromatique du vin sera grande .

Quand j'étais oenologue conseil, je pratiquais le levurage de levures indigènes.

Le vigneron sélectionnait de beaux raisins dans un seau et il démarrait une microfermentation qu'il dégustait pour en vérifier la qualité. Ensuite il se servait de cette microfermentation pour ensemencer la cuverie. Il y a à mon avis moins de risque de pratiquer de la sorte que de laisser une cuve partir seule en fermentation.

J'observais une règle générale, les raisins de certaines parcelles traitées chimiquement ne donnaient que rarement un bon pied de cuve, avec une bonne odeur de ferments. L'odeur la plus indélicate était celle des acétates, typique de la colle scotch. Les parcelles traitées en bio, donc au cuivre, donnaient presque toujours de bons ferments.

JCB : Comment s'exprime la minéralité dans le vin ?

DL : l'oenologie a abondamment travaillé sur les substances carbonées et ignore les substances minérales des vins. L'oenologue sait travailler le sucre, l'acidité les tanins, l'alcool (acidification, chaptalisation, collage, tannisage), il ne sait en revanche rien sur l'impact des minéraux et du sel sur le goût des vins. D'ailleurs, il ne sait pas ajouter de sel aux vins. L'effet est trop complexe, et c'est heureux car la minéralité n'est que l'expression de la qualité du travail viticole.

Vous mettez vingt-cinq grammes de sucre ou de sel dans une eau minérale et une eau douce, les résultats seront différents. Dans l'eau minérale, vous ne sentirez pas de la même manière le sucre ou le sel que dans l'eau douce.

L'impact des minéraux du vin est complexe (cobalt, manganèse etc.) Il ne faut pas confondre une sensation physiologique (effet réducteur coté fraîcheur ou ferme en bouche) et le goût.

L'oenologie a mis l'ordre minéral au même niveau que l'ordre organique.

Et pour moi c'est différent... Un vin qui aura de la salinité aura du goût.

JCB : Si je vous disais qu'il existe actuellement deux écoles de dégustation : la « buccale » des dégustateurs qui jugent le vin sur la bouche (comme Parker), et la « spirituelle » des dégustateurs qui n'oublient pas la bouche mais recherchent la maturité, la concentration dans le vin et, après l'avoir recraché, constatent un effet de retour aromatique – minéralité, menthol, épices pour les blancs – qui donne de « l'esprit » au vin et suscite l'intérêt de votre cerveau à chercher les nombreux arômes...

DL : Pour moi l'esprit du vin tient à celui qui l'a élaboré. Un esprit sain dans un corps sain, un vin sain dans une terre saine.

J'assimile l'esprit du vin aux vibrations que l'on ressent quand on le déguste. Le test du buvard de Pfeiffer est pour moi un bon indicateur de la richesse biochimique d'un vin.

L'esprit, c'est l'ensemble des éléments qui ont conduit à l'élaboration de ce vin : le mental du vigneron, le respect de la terre et de l'environnement, du paysage viticole.

Telle que je la conçois, l'école buccale à laquelle vous faites allusion c'est celle qui assimile la qualité à des vins concentrés en substances carbonées, en tanins, en alcools, en sucres, en acides etc...

L'école spirituelle, c'est celle qui se préoccupe de la minéralité, et finalement de tous les éléments qui ont conduit à obtenir cette minéralité, je veux dire : le travail viticole du vigneron et la terre respectée, vivante, où les bactéries, les algues, les mycorhizes, les vers de terre participent à la symbiose avec la plante. À l'état natif, les corps minéraux ne sont assimilables que grâce à la biologie du sol. Observez une racine s'engager dans une galerie de vers de terre, observez les mycorhizes former un manchon autour de la racine, les bactéries provoquer des boursouflures, les algues se fixer, etc. La plante que l'on goûte doit exprimer cette symbiose, et l'expression est en premier lieu celle des minéraux qu'a puisé la plante grâce à la biologie.

JCB : Qu'est-ce que la marque de terroir dans un vin ?

DL : C'est la constitution des minéraux et autres oligoéléments du vin.
Et savoir retrouver l'empreinte du vigneron dans le vin car il fait aussi partie du terroir.

JCB : Pouvez-vous nous parler du soufre ?

DL : Rappelons-nous les règles de la bioélectronique de Vincent : un milieu réducteur c'est la santé, un milieu oxydé, c'est le cancer et la sénescence. Le soufre est recherché pour mettre le jus puis le vin en milieu réducteur (santé). Ajouter du soufre dans un jus permet de sélectionner les bonnes levures dont une caractéristique est de se complaire en milieu réducteur.

Seulement, une vigne naturellement en bonne santé, non soumise aux stress oxydatifs, produit un jus naturellement très réducteur. Ce jus sélectionne naturellement les bonnes souches.

On l'a vu dans les années 70, l'arrivée de pesticides a provoqué des stress oxydatifs, les fermentations naturelles ont mal tourné, d'ailleurs une des expressions gustatives de ces stress est l'oxydation des jus, leur sensibilité à l'oxygène. Il a fallu alors avoir recours aux levures oenologiques, les levures sèches actives. Il a aussi fallu augmenter les doses de SO_2.

Ce n'est pas un hasard si des vignerons bio s'essayent aux vins sans SO_2 et réussissent comme Jean-Pierre Frick. Leur vigne mieux préservée des stress oxydatifs donnent des jus plus réducteurs et donc plus sains.

Ces dernières années, l'oenologie pasteurienne a voulu se passer des méthodes de mesure d'oxydoréduction, prétextant qu'elles sont trop imprécises. Je pense que c'est parce que les mesures d'oxydoréduction peuvent être un excellent indicateur environnemental.

JCB : Les vins d'oenologues auraient-ils, d'une certaine manière, standardisé les vins français, les mettant en difficulté face à la concurrence étrangère ?

DL : C'est une opinion. La technologie est reproductible, le terroir ne l'est pas. La technologie ne permet pas de garantir l'identité.

Jacques Meihl

Monsieur Jacques Meihl, 63 ans, est conseiller en biodynamie depuis 1989. Les domaines dont il s'occupe sont entre autres ceux de Anne Godin en Cahors, Château Fonroque en Saint-Émilion (famille Moueix), Château Mirebeau en Pessac-Léognan.

JCB : Qu'est-ce que la biodynamie ?

Jacques Meil : C'est une agriculture dont les fondements ont été donnés par Rudolf Steiner en 1924 lors d'une série de conférences. C'est une agriculture sans produits chimiques (seuls le cuivre et le soufre sont autorisés en viticulture) avec un grand pouvoir de régénération. En effet, la plante se défend elle-même.

Pour moi, les sols viticoles sont les plus pollués. En trois ans on peut redonner vie aux sols par une pratique très professionnelle de cette « nouvelle » agriculture.

JCB : Les rendements sont-ils plus faibles en biodynamie ?

JM : Non, certes on ne produit pas quatre-vingts hectolitres à l'hectare comme en chimie mais on fait des rendements corrects aux alentours de quarante à cinquante hectolitres par hectare.

JCB : Les raisins sont-ils plus mûrs ?

JM : Oui, la maturité du raisin est meilleure avec un réel équilibre phénolique.

JCB : Votre verdict ?

JM : La biodynamie n'est pas une méthode mais une agriculture et comme telle vous pouvez la pratiquer.

Jean Schaetzel

Jean Schaetzel, 53 ans, oenologue (diplôme national d'oenologie) pratique la vinification au domaine depuis 1979 et forme les vignerons alsaciens à l'agriculture biologique (CSPPA de Rouffach).

JCB : Les désherbants chimiques sont-ils vraiment dangereux pour le déséquilibre écologique ?

JS : La priorité du vigneron : la plante et le sol doivent fonctionner de pair. Un sol qui « marche » est un sol aéré et perméable, ses espaces sont vides comme le couscous et non comme de la farine. Si vous désherbez, le sol est nu ; l'eau qui tombe tasse les sols, ils ne sont pas protégés en hiver car ils sont nus. Ensuite le terroir se déstructure en surface et il reste hermétique. Ni l'air, ni l'eau ne peuvent y pénétrer.
Enfin, nous ne connaissons pas le devenir des chimiques.

JCB : Est-ce que vous trouvez normal qu'un viticulteur en AOC désherbe ses vignes ?

JS : Un vin AOC est un vin original et différent des autres. Afin de le rendre inimitable il faut que la plante aille chercher les éléments minéraux et originaux dans le sous-sol.
Tous les éléments minéraux ne sont pas solubles, et la vigne, qui est une plante évoluée, est associée avec des mycorhizes (champignons vivants sur la racine). Elle transmet du carbone aux champignons en échange d'éléments minéraux. Il faut préserver ses mycorhizes qui sont fondamentaux pour le terroir.

JCB : Existe-t-il une différence entre un vin levuré et un vin non levuré ?

JS : Pour moi ce n'est pas évident de répondre à cette question, mais je trouve qu'il y a plus de profondeur avec un non levurage.
Le levurage peut être bon pour un vin de fruit ou de terroir quelconque.
Il serait intéressant de prendre le même lot et de le diviser en deux, un levuré et l'autre non levuré.

JCB : Quelle est la marque, l'empreinte du terroir dans un vin ?

JS : C'est la salinité qui se révèle dans le coté olfactif et gustatif, le terroir s'exprime avec le vieillissement dans le marqueur aromatique. Pour certains grands crus, on note de l'anis étoilé comme dans le Zinkoepfle au bout de sept ans. Le traceur du terroir est la minéralité saline.

JCB : Votre verdict ?

JS : Le vin est produit dans la vigne et non dans la cave ; je suis un oenologue de cave mais j'ai évolué assez vite... Néanmoins, cela ne veut pas dire que l'on doive négliger la cave...

La suite sur www.prelitte.com

 ## Joseph Drouhin

Philippe Drouhin, 45 ans, dirige La maison Joseph Drouhin et les domaines Joseph Drouhin depuis 1988 à Beaune. Grâce à une formation viticole qui suscita chez lui un vif intérêt, il prit l'initiative de conduire le domaine en culture biologique (mais non certifiée). Depuis cette année, le domaine de soixante-dix hectares – trente en Côte d'Or, quarante à Chablis – est en reconversion bio (certifi cation Ecocert).

JCB : Qu'est-ce que le GEST ?

Philippe Drouhin : Le GEST est le Groupement d'Étude et de Suivi des Terroirs. L'idée originale est de monsieur Cyril Bongiraud, après avoir consulté divers vignerons.

JCB : Pourquoi l'avoir créé ?

PD : Il a été créé pour répondre au besoin de plusieurs vignerons cherchant à connaître leurs sols afi n d'appréhender le plus justement possible les possibilités d'en améliorer l'état. À cette époque, ils n'avaient pas d'autre choix que de se tourner vers les laboratoires d'analyses et les vendeurs d'engrais pour savoir ce qu'il fallait apporter aux sols ; les conseils se limitaient alors aux différents engrais à introduire.
Le GEST leur a permis, grâce à la collaboration étroite d'Yves Hérody et son réseau de laboratoire « BRDA » (Bureau de recherche et de développement agricole) de comprendre le fonctionnement des sols et d'en déduire la façon dont il fallait les nourrir et bien les traiter. Il en a découlé la fabrication de différents composts par le GEST et l'établissement d'un référentiel local d'analyses pour alimenter le modèle de connaissance des sols. Outre l'aspect nutritionnel des sols, l'approche d'Yves Hérody, complétée par des profils de sol, leur a permis de comprendre quelles erreurs culturales étaient à ne pas commettre. Le groupement de vignerons comprenait des domaines en culture conventionnelle, biologique ou biodynamique. Ce groupement permettait d'échanger beaucoup d'idées et d'avancer.

JCB : Pourquoi n'utilisez-vous ni désherbants pour la viticulture et ni levures pour la vinification ?

PD : Nous avons abandonné très vite tout produit de synthèse (n'oublions pas que le soufre ou le sulfate de cuivre sont des produits chimiques).
Les utiliser me semblait conduire à une impasse et à aller au devant de graves problèmes. C'était nier le principe de précaution le plus élémentaire.

JCB : Votre verdict ?

PD : La vinification en levures indigènes est très importante : elles donnent de bons résultats, et elles contribuent à l'effet terroir.

 Michel Issaly

Michel Issaly, 45 ans, est vigneron au domaine de la Ramaye (Tarn) depuis 1996, et dans l'entreprise familiale depuis 1983. Il est secrétaire général des vignerons indépendants de France, observateur du groupe consultatif à Bruxelles. Il connaît bien l'ensemble des problèmes des viticulteurs en France.

JCB : La crise des viticulteurs est-elle toujours d'actualité ?

Michel Issaly : Elle est toujours là, les entreprises sont à bout. L'année 2007 sera le prolongement de la crise. Il y a un redémarrage à l'exportation mais aucun ressenti pour le vigneron.

Nous avons deux récoltes dans la moyenne et les prix n'ont pas augmenté, et grâce à plusieurs distillations, on n'aggrave pas le stock.
La vente des Champagnes et des Bordeaux grands crus masque la misère, les producteurs sont désespérés.

JCB : Que faudrait-il pour sortir de cette crise ?

MI : La compétition est internationale car la consommation française a baissé. Si nous voulons sortir de la crise, le marché mondial peut nous sauver.
Nous avons bâti notre valeur viticole sur les AOC qui ont été mal compris par le consommateur. Or si nous voulons nous sortir de la crise, il faut s'adapter au marché mondial. Actuellement, le maître mot est l'agroalimentaire.
Produisons des vins au goût des clients étrangers dans les règles de l'agroalimentaire, sinon acceptons la disparition d'une partie de notre viticulteur et des producteurs.
Un vin de terroir coûte cher, moins de rendements et des règles oenologiques et agricoles à respecter. On se fait plaisir, mais qui va les acheter ?

Si nous voulons communiquer sur le terroir nous n'avons pas d'argent. Le nouveau consommateur ne connaît pas le vin de terroir (travail des sols et vinification en levures indigènes). Nous avons la capacité de construire une pyramide d'offre qui permettrait d'attaquer le consommateur en lui donnant des valeurs de la France. Mais cela mettra des années.

Tous ces pays (Argentine, Afrique du Sud, USA, Australie, Chili, Nouvelle-Zélande) qui sont partis de rien, sont excellents sur les premiers paliers (vin de cépage, et technologique). Mais avec des consommateurs pointus, ils ont du mal. Il faut accompagner le consommateur qui ne connaît rien, à partir du bas jusqu'en haut de la pyramide (du goût).

C'est une guerre mondiale, ce n'est pas avec un boulet à chaque pied que l'on va gagner. Il faut faire des vins hors AOC appelés « produits agroalimentaires » (utilisation des copeaux de bois, levures sélectionnées, etc...). Ils attireront le client néophyte pour l'éduquer, et ensuite, nous pourrons lui proposer des vins plus complexes. C'est une révolution.

Mais attention, si nous élaborons des vins d'oenologie moderne (copeaux de bois etc...), nous devons garder, et protéger nos vins de terroir avec une vraie réglementation (travail de sols et vinification en levures indigènes).

JCB : Quelle est votre position à propos de ces copeaux de bois précisément dans les Bordeaux ?

MI : Cela entre dans la logique de la segmentation, mais seulement hors AOC. Ensuite, il faut que le consommateur connaisse les pratiques du vigneron (copeaux de bois ou travail des sols...).

Actuellement, les Bordelais s'adaptent, car ils sont confrontés à la concurrence qui pratique l'ajout des copeaux de bois. Je trouve dommage que des AOC Villages (exemple : Pauillac, Saint-Émilion) puissent ajouter des copeaux de bois. L'appellation régionale Bordeaux avec le nom du cépage écrit sur l'étiquette (Merlot ou Cabernet) est plus logique.

Demain la partie haute de la pyramide (celle qui correspond au vin de terroir – labour des sols et vinification en levures indigènes) représentera 15 à 20% du consommateur. Mais pour 80%, c'est de l'agroalimentaire.

Le plus important chez le vigneron est de vivre de son métier.

Nous devons trouver une nouvelle appellation qui permette d'avoir le nom du cépage sur l'étiquette et qui accepte les règles de vinification étrangère (copeau de bois, rendements importants). Il faut un code de lecture simple pour le consommateur.

D'autre part, il faut éliminer (ou remplacer) les vins qui n'ont plus rien à faire sur nos terroirs. Ces derniers se disent terroirs, mais ce sont des AOC issus de vignes très désherbées avec les produits systémiques.

Les terroirs sont appauvris, ne peuvent plus rendre l'effet terroir qui est notre authenticité.

S'il n'y a plus de différences entre nos AOC et le vin industriel nous sommes morts. Nous devons placer la barre très haut dans nos AOC, donc plus de désherbants systémiques et d'interventions sur la matière première.

En conclusion, il faut deux viticultures :

■ Une industrielle agroalimentaire qui correspond aux goûts des étrangers, hors AOC ou avec une autre appellation. Celle-ci fera vivre nos vignerons.

■ Une authentique : nos AOC avec des règles très strictes, plus de désherbants systémiques, ni de vinification en levures de laboratoire.
Elle préservera la viticulture authentique de la France.

En France, nous avons un autre handicap : le coût de revient. Nous avons les meilleures écoles du monde d'oenologie, or tous les meilleurs élèves partent de France. Ensuite, nous devons travailler dans l'innovation et adapter un outil des connaissances des marchés.
Que faire lorsque le vigneron a devant lui un acheteur qui aime le vin de cépage Cabernet (par exemple) et qu'il désire un million de bouteilles ?
Lorsque vous allez sur le marché mondial, vous êtes obligés de rester dans les règles du marché mondial imposées par les autres.

JCB : Avez-vous peur que les vins étrangers remportent le marché des vins de terroir ?

MI : Non je n'ai pas peur car nos meilleurs vins sont des vins de terroir (issus de levures indigènes et de terre travaillée). D'autre part, ils n'ont pas découvert leur terroir. Il faut éduquer la clientèle à ce genre de vin, mais tout d'abord ces nouveaux futurs clients seront attirés par des vins adaptés qui auront un code de lecture simple.

JCB : Parlons un peu de notre marché national qui diminue d'année en année.

MI : Chez nos voisins européens (Italie, Espagne, Portugal), ils ont aussi les mêmes difficultés. La société de consommation a créé des goûts sucrés dans les aliments, et les sodas ont concurrencé le vin. Nos jeunes de quinze ans actuellement n'ont pas vu leurs parents boire du vin à table chaque jour.

JCB : Les jeunes ne connaissent pas l'importance du patrimoine français viticole. Nos jeunes sont nuls en géographie, pourquoi ne pas enseigner la géographie viticole à nos enfants pendant leur scolarité ? Ainsi lorsqu'ils seront adolescents, ils voudront déguster ce genre de vin.

MI : Il faut aussi redonner l'envie au gamin de connaître le goût et les odeurs. Les valeurs du goût ne sont plus enseignées à l'école. L'avenir du vin c'est nos

enfants. Si nous éduquons nos enfants au goût avec des aliments naturels, ils deviendront des futurs consommateurs de vin.
Or actuellement, ils sont habitués aux arômes de synthèse.

JCB : Je ne vois pas les consommateurs de fast-food devenir plus tard des consommateurs de vin. En Allemagne, ils ont développé la restauration scolaire « bio »...

MI : Complètement, il faut que les outils économiques puissent travailler sur les jeunes ; on les a oubliés totalement. C'est grâce à notre génération future que notre métier va remonter la pente et perdurer.
Si les futurs adultes achètent des grands noms, c'est le résultat d'une éducation au goût.

JCB : Quelle est la marque de terroir dans un vin ?

MI : La minéralité.

JCB : Pour moi, cette marque de terroir est la clé de la renaissance des vins en France. Il faut que les instances viticoles reconnaissent cette marque, mais aussi les causes de cette marque (symbioses entre la vinification en levures indigènes avec travail des sols sans désherbants).

MI : Je suis d'accord, mais ceux qui sont en place actuellement ne se contrediront pas. Nous devons préparer nos enfants. Peut-être que nos enfants défendront et gagneront. Le plus important est :
De redéfinir un AOC et revaloriser l'AOC grâce à une méthodologie (viticulture sans désherbants systémiques et vinification en levures indigènes).

De définir une viticulture agroalimentaire qui se pratique principalement en cave. Mais attention, la matière première doit être neutre. Enfin la notion de prix de revient sera une notion essentielle si on veut garantir un revenu convenable aux producteurs qui choisiront la voix de l'intégration dans ce système.

JCB : Votre verdict ?

MI : Il faut être prudent, car si on élabore des pratiques oenologiques utilisées dans les vins Sud-Américains, Africains, et Océaniens dans nos AOC, nous perdrons notre terroir !

La suite sur www.prelitte.com

155

Index des appellations

Lexique

Acidité volatile : Acidité qui, sur le plan gustatif, ressemble au vinaigre. Elle est constituée par l'ensemble des acides gras de la série acétique. L'acide acétique (acide du vinaigre) en représente plus de 95%. Les vignerons et œnologues ne connaissent pas exactement la cause de son apparition ni de son fonctionnement. Selon certains, elle apparaîtrait pendant les jours de non-fermentation du jus de raisin (c'est pourquoi il faut une vie microbienne saine pour vinifier en levures indigènes ou élaborer un pied de cuve de raisin), ainsi qu'à la suite d'une vinification **sans ajout de soufre**. Selon **Claude Courtois**, il existe plusieurs acidités volatiles : les bonnes et les mauvaises. Les bonnes conservent le vin et, en dégustation, se fondent avec le vin.

Agriculture Biologique : c'est une agriculture réglementée et contrôlée n'utilisant ni les désherbants, ni certains fongicides durs. Seuls le soufre et le cuivre sont autorisés. Certains agriculteurs utilisent des huiles essentielles.

Agriculture biodynamique : c'est l'agriculture biologique poussée au perfectionnement. Fondée sur les principes anthroposophiques de Rudolf Steiner, elle observe les lois naturelles du vivant, les influences telluriques et cosmiques, afin de les mettre en adéquation avec les pratiques culturales.

Attaque de Bouche : première sensation gustative se manifestant sur le bout de la langue.

Autoprotection : le vin issu de l'agriculture biologique certifié ou non et vinifié en levures indigènes se défend lui-même grâce notamment à la concentration et à la propreté des raisins, mais aussi à l'activité de ses propres levures qui dégage du soufre naturellement.

Botrytis ou botrytis cinerea : Champignon parasite des raisins. Il se transforme en « pourriture noble » sur les grappes de certains cépages (vendanges botrytisées). Ce phénomène est à l'origine des plus grands Sauternes entre autres. L'action du botrytis consiste en des milliers de « piqûres » microscopiques sur la peau du raisin, qui ainsi perdra de son eau au profit d'une forte concentration du sucre et des saveurs. À double tranchant, le botrytis, selon certaines conditions et certains cépages, peut développer une pourriture grise compromettant sérieusement les récoltes.

Carafer : passer le vin en carafe afin de l'oxygéner ou d'enlever le gaz surtout pour les vins jeunes.

Casser (un vin) : un vin cassé est un vin qui n'est plus en phase, et qui ne sera plus en phase : c'est un vin mort, par exemple un vin vieux que l'on aurait pas dû décanter.

Certification (agriculture biologique) : Garantie destinée aux consommateurs, attestant la mise aux normes d'un producteur en agriculture biologique. Ce dernier doit respecter un cahier des charges strict. Ecocert (organisme d'État) vérifie le suivi de ce cahier.

Chaptalisation : ajout du sucre au moût afin d'augmenter le degré d'alcool et activer la fermentation. Jean-Antoine Chaptal (chimiste français) fut, en 1801, à l'origine de ce procédé.

Décanter : séparer le dépôt d'un vin âgé ou d'un porto grâce au passage en carafe.

Dégustation buccale : dégustation s'attachant à l'ensemble des sensations de bouche ressenties lorsque l'on goûte le vin (tanins, acidité, alcool etc.) et ne s'occupant pas du retour de bouche. On parle de la bouche d'un vin.

Dégustation spirituelle : dégustation s'attachant aux sensations de bouche ainsi qu'à la complexité aromatique des vins en retour de bouche par voie rétronasale ou rétro-olfaction.

Désherbants foliaires : Un désherbant foliaire de contact ne possède pas d'effet systémique. Par conséquent, il n'agit pas sur les racines ; les repousses sont donc possibles. En outre, il est inefficace sur les vivaces puisqu'il n'atteint pas les racines.

Déviance : caractère qui s'écarte de la norme. Une déviance dans un vin est peut être une acidité volatile ou une oxydation sur la finale. Cela peut être dû à un mauvais bouchon, à un vin qui a voyagé ou tout simplement à une méforme. La déviance est surtout présente dans les vins vivants.

Élevage : ensemble des opérations menées juste après la fermentation alcoolique jusqu'à la mise en bouteille. C'est la période qui suit la fermentation, durant laquelle le viniculteur affinera son vin : fermentation malolactique, passage en fût de bois... dans le but de produire un meilleur vin.

Éraflage : enlever les rafles (la tige qui tient la grappe) du raisin.

Étoffé : (surtout pour le milieu de vin), sensation de puissance.

Fermentation alcoolique : transformation des sucres (glucose et fructose) en alcool (éthanol) et en gaz carbonique grâce aux levures indigènes ou exogènes ; c'est la transformation du moût en vin.

Fermentation malolactique : Transformation de l'acide malique en acide lactique – plus doux – par les bactéries contenues dans le vin. C'est la deuxième fermentation ; cette opération provoque une désacidification partielle du vin, recherchée pour presque tous les vins rouges et seulement certains vins blancs de Loire et de Bourgogne (on ne fait pas de malolactique en Alsace).

Fondu : lorsqu'un un vin est harmonieux, tel un vin qui a bien vieilli, tous les éléments (tanins, acidité, alcool) sont ressentis à égalité, on dit que le vin est fondu. On applique également ce terme aux tanins : des tanins fondus sont des tanins agréables, qui ont perdu leur agressivité et leur astringence.

Foulage : éclatement des baies de raisins dans le but de séparer le jus et l'enveloppe du raisin afin que les levures puissent activer le processus de la fermentation (mais les enveloppes et le jus restent dans la même cuve).

Gazer : l'autoprotection des vins engendre une fabrication de soufre par les levures indigènes. Cette réaction chimique donne au vin un nez réduit aux arômes sauvages ou d'écurie qui puent. Cela peut déranger. Il suffit de le carafer.

Gazeux : le vin contient du gaz carbonique ; il suffit de carafer le vin pour qu'il soit éliminé.

Levures indigènes ou naturelles : flore bactérienne contenue sur la peau du raisin. Elle est à l'origine de la transformation du sucre en alcool.

Levures sélectionnées ou exogènes : catégories de levures cultivées en laboratoire.

Lutte intégrée : selon l'Inra, emploi judicieux et harmonieux de plusieurs moyens de lutte, biologiques, chimiques ou autres, pour abaisser les effectifs des ravageurs de telle façon que leurs dégâts soient supportables, en garantissant le respect des abeilles et autres Insectes pollinisateurs, et de tous les animaux utiles à l'économie de la nature.

Lutte raisonnée : selon l'Inra, lutte où les moyens (essentiellement chimiques) de destruction des ravageurs ne sont employés qu'à bon escient, en cas de risque de dépassement du seuil de nuisibilité. Elle s'oppose à la lutte d'assurance, où les interventions sont déclenchées en fonction d'un calendrier.
Selon la définition du ministère de l'agriculture : « phase d'approche de la lutte intégrée, consistant en un aménagement progressif de la lutte chimique, grâce à l'utilisation des seuils de tolérance économique et à l'emploi raisonné de produits de traitements spécifiques ou peu polyvalents... ». Je pense que c'est une agriculture soi-disant écologique inventée afin que l'agriculteur reste dépendant des grands groupes phytosanitaires.

Macération : (uniquement pour le vin rouge), laisser reposer, juste après le foulage, l'élément liquide (le jus de raisin) et l'élément solide (les peaux et pépins du raisins) afin d'obtenir une couleur.

Marc ou chapeau : ensemble des matières solides demeurées au fond de la cuve après le dernier soutirage. Ce sont les résidus qui flottent à la surface du vin dans la cuve (chapeau). Surtout pour les vins rouges : peau de raisins, pépins, pulpe, tige...

Marc de vin : eau de vie de vin provenant de la distillation du chapeau. Remarque : un nez de marc soit dans une cave ou dans un vin est la marque naturelle du vin de terroir.

Marque de Terroir : c'est la rétro-olfaction minérale (impression d'un goût de pierre à fusil après absorption du vin). Je l'ai seulement remarquée lorsque le vin est issu de vignes labourées et vinifiées en levures indigènes.

Maturité phénolique : équilibre de maturité du raisin (la peau, les pépins et la chair du raisin).

Minéralité : goût de pierre dans un vin rappelant le goût de l'eau de Contrexéville. C'est la marque de terroir dans un vin en retour de bouche – après avoir dégusté ou recraché. Elle est obtenue grâce aux levures naturelles et au travail de la terre.
Moût : jus de raisin non fermenté obtenu après le foulage.

Mycorhizes : champignons vivant sur la racine et favorisant un échange nutritionnel entre la plante et la terre. Ils sont fondamentaux pour le terroir.

Nez complexe : en dégustation, il existe deux nez pour le vin. Un premier sans agiter le verre, un second en agitant le verre. Un nez complexe est un nez qui développe une multitude d'arômes.

Parkerisé : Robert Parker est l'expert américain des vins. Un vin parkerisé est un vin boisé, puissant, sans rétro-olfaction minérale, et avec des tanins marqués pour les vins rouges.

Pétillant naturel ou méthode ancestrale : vin pétillant obtenu sans ajout de levures.

Phase : (vin en phase), en équilibre en harmonie. Un vin qui n'est pas en phase est souvent issu d'agriculture saine, vinifié sans levurage et sans ou peu de soufre. Son caractère, sa personnalité lui donne un « visage humain », changeant et non stéréotypé. Le fait ne pas être en phase entraîne une finale généralement déviante (acidité volatile) pour les vins blancs ou une autoprotection forte (arôme réducteur) pour les vins rouges.

Prelitte : Petits Rendements Levures Indigènes et Travail de la Terre. Estampille de votre serviteur (figurant sur certaines bouteilles), et base de dégustation.

Pressurage : jus obtenu, soit avec le raisin (vins blancs), soit avec le mélange de la macération (vins rouges).

Rétro-olfaction ou retour de bouche : sensations longues qui reviennent après absorption du vin.

Semi-étoffé (se dit d'un vin ou de son milieu) : entre la puissance et la légèreté.

Soufre ou anhydride sulfureux : antiseptique pour prévenir l'acidification du vin. Il est ajouté sur le raisin, pendant la fermentation ou avant la mise en bouteille.

Standard : se dit d'un vin qui n'a pas de complexité. Le premier nez et le second nez sont identiques.

Tanins : terme générique désignant des substances végétales de la peau du raisin, des pépins et de la rafle (tige). Ce sont des composés phénoliques ou polyphénols présents dans le raisin, dans le moût et dans le vin.

Terroir : ensemble de facteurs naturels caractéristiques d'une aire viticole (tiré du livre de Michel Dovaz « 2000 mots du vin » - édition Hachette).

Vin naturel : vin issu de l'agriculture biologique certifié ou non et vinifié sans artifice (sans chaptalisation, sans ajout de levures sélectionnées de laboratoire, sans acidification, et sans ajout de tanins). Il n'existe pas de cahier des charges officiel mais seulement des associations de vignerons comme « www.lesvinsnaturels.org » et www.seve-vignerons.fr ». Il peut s'appeler vivant, spirituel ou de style Prelitte.

Vin de goutte : Vin qui s'écoule librement de la cuve, une fois la fermentation terminée (par opposition au vin de presse). En théorie, il sera toujours meilleur que le vin de presse.

Vin de presse : Après avoir prélevé le vin de goutte, on presse le marc (chapeau), qui est demeuré au fond de la cuve. On obtient ainsi un vin beaucoup plus tannique et plus puissant que le vin de goutte ; très souvent, on ajoute du vin de presse au vin de goutte afin de lui donner un peu plus de corps. Le marc peut subir plusieurs pressurages consécutifs, on obtient alors des vins de première, deuxième et troisième presse, de plus en plus bourrus et tanniques. Le vin de troisième presse s'appelle aussi vin de « rebêche ».

Vin sans soufre : l'appellation juste est « sans ajout de soufre ». Le vin sans soufre n'existe pas car les levures indigènes issues de raisins bio donnent du soufre.

Vin spirituel : vin donnant une rétro-olfaction complexe et longue après absorption ; issu de l'agriculture biologique et vinifié en levures indigènes. Autrement désigné vivant, naturel ou de style Prelitte.

Vin vivant : Le nez est complexe, la rétro-olfaction longue et minérale. Plus vous le dégustez, plus il change, et plus vous avez envie de le redéguster. Il peut s'appeler spirituel, naturel ou de style Prelitte.